Con cariño para mi [...]

Pedro

EL REGRESO
DEL JOVEN PRÍNCIPE

A. G. ROEMMERS

EL REGRESO
DEL JOVEN PRÍNCIPE

Grijalbo

Roemmers, Alejandro Guillermo
   El regreso del Joven Príncipe - 3ª ed. - Buenos Aires :
Grijalbo, 2008.
   192 p. ; 22x14 cm. (Autoayuda y superación)

   ISBN 978-950-28-0470-5

   1. Autoayuda. I. Título
   CDD 158.1

Primera edición: diciembre de 2008
Tercera edición: diciembre de 2008

IMPRESO EN LA ARGENTINA

Queda hecho el depósito
que previene la ley 11.723.
© *2008, Editorial Sudamericana S.A.*®
Humberto I 531, Buenos Aires.

www.rhm.com.ar

ISBN: 978-950-28-0470-5

© 2000, Alejandro G. Roemmers

Publicado por Editorial Sudamericana S.A.®
bajo el sello Grijalbo.

Dedico este libro:
A Jesús, el Cristo, la luz que me guía.
A mi abuela María Josefina Miller de Colman,
 mi hermano Andreas Christian,
 mis amigos Juan Ángel Saroba y Gerardo
 Leone, in memoriam

A Antoine de Saint-Exupéry, porque me dio la fuerza para resguardar la inocencia y la pureza del corazón.

A mis padres, que a través de los años lograron hacer triunfar el amor.

A mis hermanos, familiares queridos y amigos, porque al compartirla con ellos se multiplica mi felicidad.

A todos mis maestros, y las dificultades que encontré en mi camino, porque moldearon y cincelaron mi carácter para que pudiera descubrir mi espíritu.

A mis ahijados, porque me impulsan a mirar el futuro con alegría y entusiasmo.

Al Joven Príncipe, porque tuvo una nueva oportunidad para ser feliz y no la desaprovechó.

Mi profundo reconocimiento a todos aquellos cuyas palabras o sabiduría puedan verse reflejadas de alguna manera en este relato. Me es imposible discernir, después de tantos diálogos, conferencias, libros y publicaciones, qué aportó cada uno para que yo llegara a sentir y pensar como lo hago hoy. Creo que la mejor forma de rendirles tributo es difundiendo esas mismas enseñanzas que de algún modo me fueron transmitidas y que funcionaron al ser aplicadas. Junto con mi experiencia, conforman la base sobre la que día a día sigo construyendo mi felicidad y progreso espiritual.

PREFACE

Si le Petit Prince est un livre universel, traduit en prés de 180 langues de notre planète, c'est parce que son langage est universel. Antoine de Saint-Exupéry a voulu nous livrer là, au terme de sa riche et courte vie, un apologue, une espèce de guide de la vie pour la jeunesse à travers un voyage initiatique un peu comme les contes de Voltaire au XVIIIe siècle ont aidé à faire progresser les idées de liberté et de justice. Il ne s'agit pas seulement avec le Petit Prince de liberté et de justice, il s'agit de la vie. Du sens à donner à sa vie, de la responsabilité, de l'amour, de l'amitié. C'est la symbolique du lien qui resurgit à chaque page, le lien entre les hommes qui habitent la Terre, le lien avec la planète et tous les éléments. Saint-Exupéry nous parle aussi de la nécessité de conserver une âme d'enfant pour être sensible à la poésie, à la beauté et à la pureté. Ce petit prince, c'est Saint-Exupéry lui-même. C'est son âme d'enfant qui a grandi sans jamais vraiment devenir adulte, vivant dans le ciel et les étoiles à la recherche de la terre des hommes, responsables et uniques. Il nous a laissé en partant un trésor et nous a instamment demandé dans la dernière phrase du livre "Ne me laissez pas tellement triste: écrivez moi vite qu'il est revenu..." Alejandro Roemmers a gardé son âme d'enfant et ayant rencontré ce Petit Prince en Argentine, il souhaite nous en parler dans son ouvrage et attirer notre attention sur la poésie et l'essentiel. Pourquoi en Argentine me direz-vous? Parce qu'il est argentin... mais pas seulement. Mes nombreux voyages m'ont permis de percevoir combien "Saint Ex" était aimé et connu en Argentine. Dans toutes les escales de l'aéropostale on m'a montre les hôtels où il habitait, les restaurants où il se rendait en me désignant sa table et ses plats préférés, quelquefois la maison d'une petite amie et même une fois la maison où il avait écrit... le Petit Prince... qu'il écrivit 12 ans plus tard à New York... C'est dire combien les Argentins considèrent que Saint-Exupéry est quasi argentin — il est même retenu comme un écrivain patagon à l'université de Neuquén — et que son héros est né chez eux. Ne dit-on pas que l'île qui est à l'entrée de l'isthme de la péninsule de Valdés a été le modèle du boa avalant l'éléphant par sa curieuse forme de chapeau déformé... dont Saint-Exupéry se serait inspiré? Et que les pics de la cordillère des Andes sont ceux où grimpe le Petit Prince pour écouter l'écho et admirer la terre? L'Argentine a imprégné toute son œuvre. Il appartenait donc à un Argentin de nous livrer sa compréhension du Petit Prince car il a retenu les leçons de ce livre, de tous les livres, sur le chemin de la spiritualité. Ce livre est un lien exupérien vers les autres.

FRÉDÉRIC D'AGAY
Président de la Fondation Antoine de Saint-Exupéry
et petit neveu de l'ecrivan

PREFACIO

Si *El Principito* es un libro universal, traducido a cerca de 180 idiomas de nuestro planeta, se debe a que su lenguaje es universal. Al término de su rica y corta vida, Antoine de Saint-Exupéry ha querido brindarnos un relato, una suerte de guía de vida para la juventud a través de un viaje iniciático, un poco del modo en que los cuentos de Voltaire del siglo XVIII han ayudado a que florezcan las ideas de libertad y justicia. *El Principito* no trata solamente sobre la libertad y la justicia, sino sobre la vida misma. Sobre el sentido que debe darse a la vida, sobre la responsabilidad, el amor, la amistad. Es la simbología de los vínculos que resurge en cada página, el vínculo entre los hombres que pueblan la Tierra, el vínculo con el planeta y con todos sus elementos. Saint-Exupéry nos habla también de la necesidad de conservar un alma de niño para permanecer sensible a la poesía, a la belleza y a la pureza. Este Principito no es más que el mismo Saint-Exupéry. Es su alma de niño que creció sin volverse jamás realmente adulta, viviendo en el cielo y las estrellas en busca de la tierra de los hombres, responsables y únicos. Al partir, nos legó un tesoro y nos pidió con vehemencia en la última frase del libro: "No me dejéis tan triste. Escribidme enseguida, decidme que el Principito ha vuelto...". Alejandro Roemmers ha conservado su alma de niño, y habiendo encontrado a este Principito en la Argentina, desea hablarnos de él en su obra y llamar nuestra atención sobre la poesía y la esencia de su mensaje. ¿Por qué en la Argentina?, se preguntarán. Porque él es argentino... pero no sólo por eso. Mis numerosos viajes me permitieron descubrir cuán amado y conocido era "Saint Ex" en la Argentina. En cada escala del Aeropostal, me han mostrado los hoteles donde vivía, los restaurantes que frecuentaba revelándome su mesa y sus platos preferidos, alguna vez la casa de una novia, e incluso un día el lugar donde había escrito... *El Principito*... que escribió doce años más tarde en Nueva York... Vale decir, en qué medida los argentinos creen que Saint-Exupéry es prácticamente argentino —en la Universidad de Neuquén lo consideran incluso un escritor de la Patagonia— y que su héroe ha nacido entre ellos. ¿Acaso no dicen que la isla que está a la entrada del istmo de la península de Valdés fue el modelo de la boa que traga al elefante por su curiosa forma de sombrero deformado... la misma que sirvió de inspiración a Saint-Exupéry? ¿Y que los picos de la cordillera de los Andes son aquellos a los que trepa el Principito para escuchar el eco y admirar la tierra? La Argentina ha impregnado toda su obra. Correspondía pues a un argentino ofrecernos su comprensión del Principito, ya que logró retener las enseñanzas de este libro, de todos los libros, sobre el camino de la espiritualidad. Este libro es un lazo exuperiano hacia los demás.

FRÉDÉRIC D'AGAY
Presidente de la Fundación Antoine de Saint-Exupéry
y sobrino nieto del escritor

Traducción de Paula Martínez Foffani.

PALABRAS PRELIMINARES

En un mundo asolado por la guerra, que perdía su inocencia y la alegría de vivir, un aventurado piloto francés llamado Antoine de Saint-Exupéry daba a luz un libro, *El Principito*, que se convertiría en el símbolo universal de aquellos valores perdidos.

La tristeza y la desilusión de Saint-Exupéry, frente a una época que parecía olvidar la sencillez del corazón y la espiritualidad esencial del hombre, fueron probablemente, más que cualquier ráfaga enemiga, las causantes de su temprana desaparición sobre el Mediterráneo.

Como tantos otros que han leído *El Principito*, compartí la pureza de su mensaje y me entristecí junto con Saint-Exupéry cuando aquel niño que llegó a lo más tierno de mi corazón debió partir de regreso a su asteroide.

Luego comprendí que el odio, la incomprensión, los exacerbados nacionalismos, la falta de solidaridad, la visión materialista de la vida y tantas otras amenazas, hubieran hecho imposible su permanencia en nuestro planeta.

Muchas veces me pregunté, tal vez como tú, qué sería de ese niño tan especial si viviera en medio de nosotros. ¿Cómo hubiera sido su adolescencia? ¿Cómo hubiera podido conservar intacta la frescura de su corazón?

Me llevó muchos años encontrar algún modo de responder a estas preguntas y, aún así, quizá las respuestas halladas sólo lo sean para mí. Tal vez, y abrigo esa esperanza, alcancen a iluminar en parte el camino del niño que cada uno de nosotros hemos sido y que llevamos dentro.

Por ello me atrevo a escribirte, querido lector, al comenzar un nuevo siglo y un nuevo milenio, con una visión más positiva de nuestro tiempo, para que no estés tan triste.

Lamento no poder satisfacer tu curiosidad en caso de que esperaras una fotografía. Hace tiempo que no llevo cámaras de fotos o video en mis viajes. Precisamente desde que noté que mis amigos se concentraban tanto en la imagen, que dejaban de prestar atención a mis relatos. Es una seria falta de mi parte no haber incluido algunos dibujos. Quiero creer que más que una vergonzante autocrítica de mi capacidad pictórica, se trata de un íntimo respeto a la singularidad de tu recuerdo y a la libertad de tu imaginación. Es mi deseo que puedas ver, a través de mis palabras, como el Principito ha podido ver al cordero a través de la caja, sin que por ello consideres este relato demasiado serio.

Espero que sepas disculpar también, apreciado lector, la inclusión de pensamientos y reflexiones que surgieron en el momento de los acontecimientos y que he querido respetar al transcribirlos.

Dicho esto, paso a relatarte los hechos tal y como ocurrieron.

Si te sientes solo, si tu corazón es puro, si aún guardan tus ojos el asombro de un niño, quizás encuentres al leer estas páginas que te sonríen otra vez las estrellas y puedas escucharlas como quinientos millones de cascabeles.

CAPÍTULO I

Viajaba solo en mi automóvil por una carretera muy poco transitada de la Patagonia —que recibió ese nombre porque la habitaban indios que tenían los pies desproporcionadamente grandes— cuando de pronto vi al costado del camino un bulto de aspecto singular. Disminuí instintivamente la velocidad y cuál sería mi asombro al ver un mechón de cabellos rubios emergiendo de una manta azul que parecía envolver a una persona. Detuve la marcha y cuando descendí, quedé totalmente anonadado. Allí, a cientos de kilómetros del poblado más cercano, en medio de un páramo en el que no podía divisarse ni una casa, ni un cercado, ni tan siquiera un árbol, dormía plácidamente un joven cuyo rostro fresco no reflejaba preocupación alguna.

Lo que erróneamente tomé por una manta, era una larga capa azul con charreteras que por momentos dejaba ver su interior púrpura, de la cual se extendían hacia abajo unos pantalones blancos, como de montar, introducidos en dos botas relucientes de cuero negro.

El conjunto le daba un porte principesco, inverosímil en aquellas latitudes. Una larga bufanda de color trigo flameaba al descuido en la brisa de primavera, confundiéndose por momentos con sus cabellos y dándole un aire entre melancólico y soñador.

Estuve un rato absorto, contemplando lo que para mí era un misterio inexplicable. Era como si hasta el viento que bajaba de las montañas en remolinos lo hubiera esquivado con su polvareda.

Era evidente que no podría dejarlo durmiendo, indefenso, sin agua ni alimento, en aquella soledad. Aunque su aspecto no inspiraba el mínimo temor debí vencer una adquirida resistencia para acercarme a un extraño. Lo tomé con cierta dificultad en mis brazos, depositándolo en el asiento del acompañante.

El hecho de que no se despertara me resultó tan sorprendente que por un momento me asaltó el temor de que estuviese muerto. Un pulso débil pero constante me aseguró que no era así. Cuando volví a dejar su mano lánguida sobre el asiento, pensé que, de no estar tan influido por las imágenes aladas, creería estar en presencia de un ángel descendido a la tierra. Más tarde supe que el muchacho se encontraba exhausto y en el límite de sus fuerzas.

Estuve un buen rato pensando cómo los adultos, con sus advertencias para protegernos, nos van alejando de los demás, al punto de que tocarse o siquiera mirarse a los ojos entraña una incómoda aprensión.

—Tengo sed —dijo de pronto el joven sobresaltándome, puesto que casi había olvidado que no estaba solo. Aunque habló en voz baja, la claridad de aquel sonido tenía la transparencia del agua que reclamaba.

En los viajes largos como ése, que insumiría unas tres jornadas, siempre llevo en el coche refrescos y algún sándwich para no detenerme más que a cargar gasolina. De modo que le alcancé una botella, un vaso plástico y un combinado de lomo y tomate envuelto en papel de aluminio. Bebió y comió sin decir palabra. Mientras tanto las preguntas se me agolpaban. ¿De dónde vienes? ¿Cómo has llegado allí? ¿Qué hacías acostado al borde del camino? ¿Tienes familia? ¿Dónde? Y así sucesivamente. Debido a mi carácter ansioso, no exento de cierta curiosidad estimulada por el deseo de ayudar, aún hoy considero un logro de mi parte el haber podido permanecer callado durante aquellos diez interminables minutos, esperando que el joven se recuperara. Él, en cambio, ingirió la bebida y el alimento como si fuese la cosa más normal del mundo que después de estar uno tirado en total abandono en un casi desierto, aparezca alguien para obsequiarle bebida y sándwiches de lomo.

—Gracias —dijo cuando hubo terminado y volvió a recostarse contra la ventanilla, como si esa sola palabra bastara para aclarar todos mis interrogantes.

Al cabo de un momento me di cuenta de que ni siquiera le había preguntado hacia dónde se dirigía. Por encontrarlo de este lado del camino presumí, sin más, que iba al sur, cuando en realidad lo más probable era que fuese hacia la capital, que se encontraba en dirección norte.

Es notable con qué facilidad asumimos que los demás tienen que ir en el mismo sentido que nosotros.

Cuando me volví hacia él, sin embargo, ya era tarde. Un nuevo sueño lo había llevado lejos de allí.

CAPÍTULO II

¿Despertarlo? No, debíamos avanzar, no era posible permanecer allí, de modo que el sentido norte o sur carecía ahora de importancia.

Aceleré. No me ocurriría lo que otras veces, cuando se me iban el tiempo y la vida dudando demasiado acerca de qué camino tomar.

Estaba inmerso en estos pensamientos cuando, al cabo de un buen rato de marcha, intuí de pronto el destello de unos ojos azules que me observaban con curiosidad.

—Hola —dije volviéndome fugazmente hacia el misterioso joven.

—¿Qué es este aparato en el que andamos? —preguntó paseando su mirada por el interior del coche.— ¿Dónde están las alas?

—¿Te refieres al auto?

—¿Auto? ¿No puede despegarse de la tierra?

—No —respondió por mí el orgullo abatido del coche.

—¿Y no puede apartarse de esta franja gris?

—apuntó con el índice hacia el parabrisas, enfrentándome a mis limitaciones.

—Esa franja se llama camino —aclaré pensando ¿de dónde salió éste?— y si nos salimos a esta velocidad nos matamos.

—¿Tan despóticos son los caminos? ¿Quién los ha inventado?

—El hombre.

Ante preguntas tan simples, qué difíciles se me hacían las respuestas. ¿Quién era aquel joven, luminoso de inocencia, que conmovía como un terremoto mis estructuras heredadas?

—¿De dónde vienes? —pregunté.— ¿Cómo has llegado hasta aquí? —dije enfrentando esa mirada que me parecía conocer desde siempre.

—¿Y hay muchos caminos en la tierra? —quiso saber haciendo caso omiso de mis preguntas.

—Sí, innumerables.

—Yo estuve en un lugar sin caminos —reflexionó el joven desconocido.

—Pero allí los hombres se pierden —comenté sintiendo que a cada minuto aumentaba mi curiosidad por saber quién era y de dónde venía.

—¿Pero, cuando no hay caminos en la tierra, —inquirió imperturbable— no se les ocurre a los hombres buscar la orientación en el cielo? —y miró hacia arriba por la ventanilla.

—Durante la noche —reflexioné— es posible guiarse por las estrellas. Pero cuando la luz es muy intensa corremos el riesgo de quedarnos ciegos.

—Ah —dijo el joven,— los ciegos han visto lo que nadie se atreve a ver. Deben ser los hombres más valientes.

No supe qué decir y el silencio nos envolvió mientras el auto continuaba devorando kilómetros de aquella despótica cinta gris.

CAPÍTULO III

Al cabo de un rato, insistí, interpretando como timidez su falta de respuesta.

—¿Qué te ha pasado? Puedes hablar conmigo. Si lo necesitas, me gustaría poder ayudarte —pero el joven siguió en silencio.— Puedes confiar en mí. Cuéntame cómo te llamas y cuál es tu problema —continué sin darme por vencido.

—¿Mi problema? —repitió finalmente.

—Bueno, vamos —traté de explicitar con una sonrisa, para lograr que se sintiera a gusto.— Si apareces tirado al borde de un camino en medio de la nada, es obvio que tienes algún problema.

Al cabo de un momento de reflexión, me sorprendió con una pregunta:

—¿Qué es un problema?

Sonreí interpretando que se trataba de una ironía.

—¿Qué es un problema? —insistió de tal manera que no quedaran dudas de que aguardaba una respuesta. Aún sin reponerme de mi asombro, pensé que tal vez no me hubiera entendido.

—Problem, problème —intenté en otros idiomas, aunque en todos sonara notablemente similar.

—Ya oí la palabra —me interrumpió el joven— ¿pero podrías por favor aclararme su significado? —Traté en vano de traer desde algún lugar de la memoria una definición del diccionario, sorprendido de que en un mundo agobiado por sus problemas aquel adolescente aún no hubiera tropezado con ese concepto. Finalmente, percibiendo que no podía escapar de aquellos ojos penetrantes, intenté una explicación propia:

—Un problema es como una puerta de la cual no tienes la llave.

—¿Y qué haces cuando encuentras un problema? —preguntó el joven cada vez más interesado en aquella conversación, aun cuando su vista continuaba perdida en la distancia.

—Bueno —reflexioné,— lo primero que debes hacer es verificar si realmente ese problema es tuyo, es decir, si está obstruyendo tu propio camino. Este punto es de vital importancia —expliqué— porque conozco a muchos que se inmiscuyen en los asuntos de otros que no han solicitado su ayuda, con lo cual distraen su tiempo y atención de los propios y entorpecen a los demás la solución de los suyos.

Noté cómo él asentía frente a esta evidencia que es tan difícil de aceptar para muchos adultos.

—¿Y si el problema es tuyo? —continuó, volviéndose hacia mí.

—Entonces debes, primero, encontrar la llave correspondiente y luego introducirla de forma correcta en la cerradura.

—Parece sencillo —comentó el joven, afirmando con un gesto.

—No lo creas —insinué yo.— Hay quienes no encuentran la llave, no tanto por falta de imaginación, cuanto por no probar una y otra vez las que tienen a su alcance, o porque ni siquiera se toman la molestia de intentarlo. Pretenden que la llave les sea entregada por alguien en su mano o, peor aún, que les abran la puerta.

—¿Todos tienen la capacidad de abrir esa puerta?

—Si estás convencido de que puedes, probablemente lo logres. Pero si crees que no puedes, es casi seguro que no lo lograrás.

—¿Qué pasa con los que no logran abrir la puerta? —continuó preguntando el joven.

—Deben intentarlo una y otra vez hasta que lo consigan o nunca llegarán a ser todo lo que pueden ser. —Luego como pensando en voz alta, agregué: —De nada sirve ponernos ansiosos forcejeando o lastimarnos pateándola y echándole la culpa de nuestros males. Tampoco debemos conformarnos con vivir de este lado de la puerta y soñar con lo que podría haber más allá.

—¿Y no hay nada que justifique no abrir esa puerta? —insistió el muchacho como si se resistiera a algo.

—¡Todo lo contrario! —enfaticé yo,— el hombre ha desarrollado una enorme habilidad para justificarse. Puedes explicar tu incapacidad por falta de afecto, de educación, o por los sufrimientos pasados. Puedes convencerte de que es un acierto no cruzar aquella puerta por los peligros y acechanzas que podrían esperarte o afirmar con cinismo que no te interesa lo que podrías encontrar al traspasarla. Son sólo formas de ocultar el dolor de tu fracaso. Mientras demoras en salvar el obstáculo que impide tu camino, la dificultad se agranda y tú te empequeñeces, o dicho de otro modo, cuanto más tiempo arrastras un problema, más pesado resultará.

Sentí que la resistencia del joven cedía, pero el dejo de tristeza y resignación que percibí en su rostro me animó a continuar.

—Todo eso lleva a la desdicha. El camino de la evolución espiritual y la felicidad exige el coraje de cambiar y crecer. Tenemos que salir de nuestra cómoda posición y enfrentarnos al problema una y otra vez hasta tener la satisfacción de resolverlo para franquear esa puerta y avanzar.

—¿Y cómo habré de encontrar la llave correspondiente? —continuó preguntando el joven sin darme tiempo para disfrutar la bonita analogía entre el problema y la puerta, que él obviamente no estaba en condiciones de apreciar.

En ese momento debí reducir la velocidad del coche para después sobrepasar un camión lleno de ganado. Al mirar el indicador de combustible, tuve la sensación de que tal vez no fuera suficiente para llegar hasta la próxima estación de servicio distante muchos kilómetros. Muy a mi pesar, me impuse reducir el ritmo de la marcha para bajar el consumo, lamentando que aquel automóvil no estuviera equipado con esas modernas computadoras de a bordo que calculan perfectamente el alcance para diferentes velocidades. Era un consuelo, sin embargo, saber que atrás vendría aquel camión, así que lo adelanté saludando con una amplia sonrisa al conductor, que retribuyó mediante un alegre bocinazo. En la Patagonia, aún hoy es motivo de alegría y a veces una bendición cruzarse con otro ser humano, por lo que es usual intercambiar saludos.

—¿Cómo encontraré la llave correspondiente? —insistió el joven imperturbable y totalmente ajeno a mis cavilaciones, demostrando claramente que nunca renunciaba a una pregunta una vez que la había formulado.

—¡Pues exactamente así! —exclamé, tratando de disimular un dejo de exasperación debido a la fatiga del camino.— Quiero decir que si continúas preguntando una y otra vez, hallarás siempre la respuesta. Y si continúas introduciendo una y otra vez las llaves que tienes a tu alcance, terminarás por abrir la puerta.

Y pensé... "si continúas preguntándome una y otra vez durante dos días más, me volverás absolutamente loco", lo que una vocecita en mi interior tradujo por "absolutamente cuerdo".

CAPÍTULO IV

Animado por mí a continuar preguntando, nada podría ya impedir que aquel joven preguntase hasta el final. Decidí entonces que, como de todas formas el camino era muy largo y monótono, aquella conversación original podría ser una fuente de diversión si en vez de considerar las preguntas como un examen, las tomaba como un juego para entretener el ingenio y es curioso: este cambio de apreciación hizo desaparecer como por encanto la fatiga, encontrándome deseoso y alerta para dar rienda suelta a la imaginación.

—Has dicho —continuó de pronto el joven, acomodándose en el asiento— que no basta la llave, sino que también hay que lograr la forma correcta para su utilización, ¿cómo encontraré esa forma?

—Así es, efectivamente —comencé con nuevas energías enfatizando mis palabras con la mano.— La mejor forma o disposición para resolver un problema es no considerarlo un problema, sino solamente una dificultad o un desafío. Se trata del mismo obstáculo, pero visto ahora con una connotación positiva. Debes estar agradecido a la Providencia por encontrar dificultades de tanto en tanto.

—¿Agradecer las dificultades? —preguntó incrédulo el joven.

—Sí, porque ello te permite superarte y ascender en tu camino de perfección. Considerados los obstáculos de tu vida de esta manera favorable, perderás menos tiempo quejándote y tendrás una vida más plena.

Como el joven prestaba atención, sin detenerme, continué:

—Otra cosa que podrías hacer, una vez identificada la dificultad, es reconocerla, mirarla desde distintos ángulos, o tal vez desmenuzarla en partes o dificultades más pequeñas.

El muchacho asintió pensativo y comentó:

—yo debí resolver por partes una dificultad importante.

—¿Cuál? —pregunté con manifiesta curiosidad.

—Hubiera sido imposible llegar a la tierra en un intento... —hice un esfuerzo para no quedar boquiabierto mientras él continuaba...— por ello tuve que dividir la distancia y hacer escala en siete asteroides.

Decidí que aunque hubiese perdido la cordura, aquél era verdaderamente un muchacho muy imaginativo.

Después de un silencio en el que pareció quedar sumido en sus recuerdos dijo:

—en un viaje conocí a alguien que tenía un problema sin solución.

—¿Ah, sí? —pregunté distraído.

—Se trataba de un hombre que bebía para olvidar.

—¿Para olvidar qué? —pregunté automáticamente.

—Qué tenía vergüenza y culpa.

—¿Por qué razón? —quise saber.

—Porque bebía —acotó el joven, cerrando el círculo que lo tenía perplejo.

—La sensación de culpa —dije yo— nos paraliza e impide resolver muchos problemas. Asumir la responsabilidad hará desaparecer esa sensación y podremos tomar una acción más positiva, como por ejemplo compensar o reparar el daño si fuera posible o simplemente seguir adelante y no volver a repetir el comportamiento que nos hizo sentir mal.

—Pero si has hecho algo indebido —me desafió:— ¿cómo puedes eludir la culpa?

—De poco le ha valido la culpa al bebedor que conociste. Es un castigo inútil que va mermando sus energías y en el que persiste porque ha dejado de quererse. ¿No le has preguntado por qué bebió la primera vez?

—... No —dijo el joven titubeando y al fin pude

sonreír, sabiendo que hubiera sido más fácil encontrar la tumba de un faraón desconocido que una pregunta que aquel muchacho no hubiera formulado.

—La soledad, la falta de amor, una frustración... no sé cuál habrá sido la causa, pero ciertamente su adicción a la bebida es solamente una consecuencia. Allí tienes un patético ejemplo del efecto destructivo que conlleva no superar una dificultad.

—¡Qué ingenuo he sido al juzgarlo! —comentó arrepentido el joven.— Quizás mi afecto hubiera podido ser la llave para abrir esa puerta que nunca pudo franquear.

—¡Cuánto más positiva es nuestra vida —confirmé— cuando dejamos de juzgarnos y juzgar a los demás, cuando evitamos quejarnos por los inconvenientes y dejamos de torturarnos pensando si merecemos nuestras dificultades o si pudimos haberlas evitado y, en lugar de ello, aplicamos nuestra capacidad simplemente a resolver los problemas y aceptar aquello que no podemos cambiar!

El muchacho me oía con interés, de modo que me vi tentado a continuar reflexionando en voz alta.

—A veces encontrarás que al cambiar tu punto de vista el obstáculo desaparece, porque frecuentemente la única dificultad está dentro de nosotros y es nuestra forma estrecha o inflexible de ver las cosas.

—¿La dificultad está dentro de nosotros? —repitió el joven incrédulo, bajando la vista en dirección a su ombligo.

—Generalmente así es —le contesté,— pero también su solución. Lo mental arrastra lo material. Así como imagines las cosas, probablemente ocurrirán para ti. Hasta cierto punto, tú creas la realidad que te rodea, como si fueras un pequeño Dios de tu entorno.

—¿Cómo es eso posible? ¿Acaso en este planeta la realidad no es una e igual para todos los hombres? —preguntó el joven sorprendido.

—Tal vez la realidad total sea única en sí misma —reflexioné,— pero nosotros sólo percibimos aquella porción que ingresa nuestra conciencia a través de nuestros sentidos y nuestra afinidad. Al filtrar de la realidad total aquellas ideas, personas y situaciones que nos son afines, de alguna manera estamos reflejándonos a nosotros mismos.

—¿Quieres decir que el hombre nunca conocerá la realidad sino solamente a sí mismo, a través de esa realidad?

—Eso es bastante obvio cuando reparas en las enormes limitaciones de nuestros sentidos, puestas de manifiesto por aparatos que captan ondas de alta y baja frecuencia que nuestros oídos no perciben, o microscopios y telescopios que multiplican nuestra capacidad visual. Sin embargo no siempre comprendemos con igual claridad que la observación del propio ambiente y de los acontecimientos con los que nos vemos confrontados es uno de los mejores métodos para el autoconocimiento, porque todo lo que nos molesta en el mundo circundante demuestra solamente que uno mismo no está reconciliado todavía con el principio análogo dentro de sí.

—¿Por qué lo dices todo tan difícil? —protestó el joven.

—Es como si la avaricia de otro sólo pudiera molestar realmente a aquel que es avaro, puesto que una persona generosa la tomaría como un hecho, sin alterarse por ello —dije, notando que mi compañero de viaje comenzaba a comprender.— De la misma forma, todos los que luchan contra los malos vecinos y parientes, contra la injusticia de sus jefes, contra la sociedad y muchas cosas más, sin entrar a opinar si está bien o está mal, en realidad todos ellos están luchando contra sí mismos —continué completando la idea.

—¿Contra quién podrían ganar en una esgrima frente al espejo? —preguntó el joven asombrado.

—El problema de esas personas radica en no comprender que quien está en conflicto con su ambiente resulta siempre perdedor —concluí.— La mayor parte del sufrimiento humano proviene de resistirse a las circunstancias y es el resultado del roce que se origina entre el hombre y la ley de este mundo. El sabio está en armonía con todo lo que existe. Él ve la realidad y reconoce que todo lo que es está bien. Él ya no percibe más roces y sabe que no hay nada que mejorar en este mundo, pero sí hay mucho que mejorar dentro de uno mismo.

—¿Todo lo que es está bien porque es? ¿Por qué siempre lo haces tan difícil? Por favor, dame un ejemplo para que pueda comprenderlo —pidió mi joven acompañante.

—Cuando uno hace mucha fuerza contra una pared —comencé— se siente cómo ésta ejerce a su vez la misma presión contra uno. Al aumentar la presión propia, la pared también presiona con más fuerza. La solución está en quitar las manos de la pared y entonces la presión que ella ejercía desaparecerá por sí sola. Quien reconoce el derecho a la existencia de la pared, no necesita hacer presión en su contra y tampoco será molestado por ella.

—Eso está muy bien —aprobó el joven— pero si lo que has dicho sobre conocer una parte de la realidad es cierto, cada persona vive en "su mundo" y hay tantos de estos mundos como personas.

—Tal vez sea más sencillo si lo percibes como las piezas de un rompecabezas que entre todas componen una realidad que las excede. Lo maravilloso es que cada hombre es capaz de cambiar y transformar el mundo de acuerdo con su percepción, sin lucha alguna y sin poder exterior.

—Veo lo que quieres decir —intervino el joven.— Si en el espejo veo una cara poco amable, lo único que debo hacer es sonreír.

—Exactamente —confirmé.— De la misma forma, si tienes un mal vecino, trata de ser tú un mejor vecino, si quieres un buen hijo, comienza tú por ser un mejor padre o viceversa, y así con maridos, esposas, jefes, empleados, etc. En síntesis, hay una sola forma de cambiar el mundo y es cambiar uno mismo.

CAPÍTULO V

Durante un rato ambos permanecimos absortos contemplando la inmensidad del paisaje patagónico. El viento persistente limaba el cono trunco de los montes, calmándose de a ratos en los mallines verdes. A lo lejos, por una ladera de pinos, avanzaba la lengua carmesí de los notros*. Una extraña idea surgió en mi mente y la expresé en voz alta.

—Tal vez todo este universo haya sido creado por un espíritu superior a su imagen y semejanza, para conocerse y experimentarse a sí mismo.

El joven no pareció sorprendido con la hipótesis cuando preguntó:

—¿Qué deben hacer los hombres en este planeta? ¿Son libres o están sometidos al camino?

—A mi entender —comenté— vivir es aprender. Todo lo que pasa tiene un significado para aquél que lo vive. Cuanto más conscientes nos vol-

* Notro: árbol típico de la Patagonia, cuyas flores son de un vivo color rojo.

vemos, más hábilmente extraemos el significado inherente a las cosas que nos pasan. A veces el dolor y la enfermedad que rechazamos son los que pueden proveernos de la mayor cuota de información. El destino siempre encuentra la forma de hacernos aprender lo que más resistencia nos genera, lo que menos queremos aceptar.

—¿El destino es el camino de cada hombre? ¿Puede cambiarlo? —preguntó el joven cada vez más confuso.

—Sí —contesté lacónicamente, sabiendo que en las bibliotecas del planeta reposan plácidamente millares de volúmenes que intentan en vano dar una respuesta categórica.

En vista de que el joven continuaba observándome perplejo, decidí acudir a una imagen.

—Piénsate como un río que debe avanzar inexorablemente. Eliges esquivar los montes, tratando de encontrar el cauce de menor resistencia. Las dificultades —continué— son como las piedras que encuentras. Si las arrastras, acabarán por juntarse como un dique que entorpecerá tu marcha. En cambio, si las superas una a una a medida que van apareciendo, tu fluir será constante y el torrente cristalino, como si en el roce con cada piedra aumentara su brillo. Puedes sentir culpa y considerarte indigno de ese brillo y entonces encontrarás fango para enturbiar tus aguas. Puedes hacerte perezoso y demorar largamente en la llanura, hasta perder tu rumbo en los esteros. Puedes ser demasiado intrépido y caer en cascada por la pendiente o internarte en tortuosos cañadones que te irán hundiendo. Puedes endurecer el alma hasta convertirte en hielo o dejar que apague tus caricias el desierto.

—Si fuera río, no quisiera congelarme ni morir en el desierto —dijo el joven.

—Entonces, quiérete puro y serás transparente; imagínate generoso y fertilizarás los campos; renuévate fresco y calmarás la sed; fíjate un rumbo y llegarás a destino; piénsate guía y conducirás a otros suéñate espíritu y despertarás nueva vida.

Dejé de hablar y en el silencio la mirada se extendió por la llanura agreste, elevándose lentamente hasta los fantasmas azules de la cordillera.

CAPÍTULO VI

El joven pareció encantado con la imagen del río y quedó sumido en sus propios pensamientos. Por mi parte, hacía un par de horas que llevaba a un extraño (agradable por cierto pero extraño al fin) en mi coche y no había podido saber absolutamente nada de él. Si bien sentía una gran curiosidad por conocer bastante más sobre ese joven singular, la intuición me decía que la revelación llegaría por sí misma con mucha mayor antelación que si trataba de arrancarla con preguntas. A veces las personas son como las ostras. Sólo debemos esperar para que nos entreguen la perla que hay en su interior.

Sin embargo ningún maestro del arte esotérico de lo impredecible pudo haber anticipado la pregunta que llegó hasta mis atónitos oídos:

—¿Los corderos también tienen problemas?

—¿Eh, cómo dices?

—¿Los corderos también tienen problemas? —repitió pacientemente el joven como si yo fuera una de esas personas a las que hay que repetirles todo al menos un par de veces para que lo entiendan.

Di gracias a Dios por la falta de gasolina que había reducido nuestra velocidad, puesto que una pregunta como ésa hubiera podido fácilmente sacarnos del camino. Una mirada me bastó para cerciorarme de que la pregunta iba en serio, y no precisamente en la acepción restringida del término. Absolutamente desarmado, opté por la franqueza:

—realmente no lo sé —reconocí,— supongo que para saberlo habría que ser cordero, ¿no te parece? —Para mi sorpresa el joven asintió gravemente y pareció quedar totalmente satisfecho, si no con la lógica de la respuesta, al menos con la admisión por parte de un adulto de que hay algo que no sabe. Luego añadió:

—entonces para conocer los problemas de las flores deberíamos ser flor, ¿no es verdad? —Pero yo no estaba dispuesto a continuar toda la tarde a la defensiva esperando la próxima sorpresa del adversario. Aquélla era una magnífica oportunidad para lanzar un contraataque.

—Te equivocas, amigo —dije pasando a la ofensiva,— no hace falta ser flor para darse cuenta de que las flores sí tienen problemas. Son demasiado hermosas e indefensas. Algunas tienen espinas para protegerse de quienes, atraídos por su belleza, quieren cortarles el cuello para ponerlas en un jarrón.

Me miró horrorizado. Pensé que iba a desmayarse pero se recompuso y alcanzó a balbucear:

—¿y las espinas las protegen realmente? —su mirada imploraba una respuesta afirmativa pero, montado sobre una despótica sobrevaloración de la verdad, continué mi avance implacable. Después de todo, aquello para mí era un juego.

—No —dije,— las espinas tampoco las protegen realmente. Ése es su problema.

Por su expresión intuí que, por el contrario, para mi extraño amigo aquello no era un juego. Más tarde me sentí afligido al saber que se trataba de una cuestión de vida o muerte para una amiga de él muy querida.

A veces los adultos jugamos, sin darnos cuenta, con sentimientos muy profundos de los niños y destrozamos cosas mucho más valiosas que las que ellos rompen.

De nada valió señalar que las flores habían logrado sobrevivir con ese problema miles de años y que incluso su naturaleza ya estaba predispuesta para ello. Ésa no era la preocupación de mi joven amigo. Él quería salvar a una única flor, y cuando una flor es única, no sirven de consuelo todas las estadísticas y manuales de floricultura del planeta. Como si pensara en voz alta sugirió:

—tal vez si renunciaran a su belleza, si se ocultaran, no tendrían problemas... pero entonces, tampoco serían flores —y entonces concluyó,— ellas necesitan de la admiración para ser felices. La vanidad, sí, ése es su problema.

Fue entonces cuando volvió a sus ojos la tristeza que percibí anteriormente y que había quedado relegada por su curiosidad.

—De todas formas, los problemas de los corderos y las flores para mí ya no tienen importancia —y sólo supe más adelante a qué se refería.

Al cabo de un momento finalmente me reveló:

—busco a alguien a quien no he visto en mucho tiempo, ¿sabes? Se parece un poco a ti, pero él tiene una máquina que vuela.

—¿Un avión? —pregunté algo desconcertado.

—Sí, eso es, un avión.

—¿Y dónde vive él? —pregunté tratando de cooperar con mi conocimiento de los aeroclubes de la zona que había visto marcados en el mapa.

—No lo sé —dijo tristemente, y luego como reflexionando para sí, observó:— no pensé que los hombres vivieran tan separados unos de otros.

Viendo la incomprensión marcada en mi cara, explicó:

—La tierra es tan grande, sabes, y mi planeta tan pequeño.

—¿Cómo piensas encontrarlo? —pregunté activando al mismo tiempo la parte de mi cerebro que guarda docenas de novelas de misterio leídas en la adolescencia. Pero su respuesta hubiera dejado sin chance alguna al mismísimo Hércules Poirot.

—Él me regaló estrellas que ríen —dijo con tono nostálgico. Por un momento lo embargó la emoción y noté que sus ojos estaban húmedos.

Fue entonces, mientras trataba de proyectar en mi mente la figura de un aviador al que sonríen las estrellas, cuando lo reconocí. ¡Claro, el cordero, la flor, las estrellas y esa capa azul...! Debí reconocerlo desde un comienzo, pero estaba tan encerrado dentro de mi propio y recóndito asteroide...

CAPÍTULO VII

En ese momento apareció, salvador, el cartel de la gasolinera, justo cuando el motor estaba saboreando los últimos litros de econafta del tanque. Suspiré aliviado. Después de recargar y verificar los niveles de agua y aceite, debí hacer un esfuerzo para lograr que el Joven Príncipe pasara por el baño a refrescarse. Era como si no tuviera voluntad para cuidar de sí.

Al cabo de un tiempo en la carretera, le pregunté: —¿él te regaló un cordero, verdad? —Ambos sabíamos de quién hablaba, pero sentí el dolor de su expresión cuando dijo:

—eso creí yo entonces.

—¿Qué quieres decir? —pregunté animándolo a continuar. Su rostro transparentaba alternativamente tristeza, incredulidad, rabia y otra vez tristeza. Muy en el fondo de aquellos ojos puros parecía anidar una esperanza. Mi intuición me indicaba que probablemente era esa esperanza la que lo había traído hasta allí.

Cuando finalmente habló, lo hizo con el tono apagado de la resignación.

—Es una historia triste, no creo que pueda interesarte —dijo sin el menor asomo de curiosidad por saber cómo me había enterado yo de la existencia del cordero.

—¡Por supuesto que me interesa! —repliqué tan enfáticamente que temí al instante tener que explicar por qué estaba tan interesado en la existencia de un cordero al que nunca había visto. Suspiré aliviado cuando el Joven Príncipe comenzó su narración, como si mi contrincante hubiera pasado por alto la jugada que me ponía en jaque mate.

....

Una mañana cuando el Joven Príncipe se hallaba realizando la diaria limpieza del planeta —es muy importante mantener limpio el planeta, ¿sabes?, comentó—, se disponía a arrancar una hierba cuando ésta le dijo:

—Si me arrancas cometerás otra equivocación.

—¿Qué quieres decir con "otra equivocación"? —le preguntó alerta el Joven Príncipe, sospechando alguna trampa.

—Quiero decir que te privarás de una hierba inteligente que podría serte muy útil. Después de todo, ¿qué mal podría yo hacerte? Estoy en tus manos. Podrás arrancarme cuando lo desees, pero creo que me necesitas. Tú serás mi amo y yo tu servidor.

Después de reflexionar por un momento, el Joven Príncipe volvió a interrogarla sin comprometerse aún: —¿qué has querido decir con "otra equivocación"? ¿Cuál ha sido mi error anterior?

—Muy simple, amo, ¿tú crees que adentro de aquella caja hay un cordero, no es verdad?

—¡Por supuesto que hay un cordero! —exclamó indignado el Joven Príncipe.— Es un hermoso cordero blanco que me fue regalado por mi amigo en la tierra. Lamentablemente, y por el dolor que le causó mi partida, él olvidó entregarme la correa del bozal. Por eso no puedo sacarlo a pasear, ya que el cordero podría escaparse y comer la flor.

Cuando se detuvo a respirar y antes de que pudiera arrancarla, la hierba dijo suavemente:

—amo, si en vez de dejarte llevar por tus emociones me permites explicarme, creo que podré aclararte el asunto totalmente —y dicho esto extendió una de sus hojas en la que para asombro del Joven Príncipe, apareció una reproducción exacta de un cordero junto a un niño. Después de examinarla unos momentos, el Joven Príncipe debió admitir que nunca había visto un dibujo tan preciso.

—No es un dibujo, es una fotografía —dijo la hierba con cierto aire triunfal percibiendo que se extendía su expectativa de vida, y continuó didácticamente...

—Se trata de una imagen que captura la realidad tal cual es. Como ves, un cordero auténtico sobrepasa la cintura de un niño. Si me hubieras consultado, habría podido explicarte que los corderos, aun en el momento de nacer, miden más que los veinte centímetros que tiene aquella caja.

Finalmente, fingiendo un tono compasivo, clavó su estocada hasta el fondo.

—Lo siento amo, me duele tener que decirte esto, pero como tu servidor debo advertirte contra ese supuesto amigo que se aprovechó de tu confianza, puesto que la caja en cuestión está vacía.

En aquel momento todo empezó a girar y a derrumbarse alrededor del Joven Príncipe. Fue el día más triste de su vida. Desde entonces no estuvo seguro de nada ni de nadie. Ninguna puesta de sol pudo consolarlo...

CAPÍTULO VIII

Sentí que las lágrimas corrían por sus mejillas mientras hablaba y luché por mantener mi vista sobre la cinta asfáltica que se extendía, aun más gris, hasta el horizonte. El Joven Príncipe continuó con el mismo tono resignado.

—Desde entonces la hierba me explicó muchas cosas que antes no entendía. Me advirtió sobre las tretas maliciosas de las flores y las falsedades de los hombres. Me introdujo en la física y la química, ilustrándome sobre tendencias estadísticas y variables económicas. Sin embargo, sin la compañía del cordero, los días se tornaron más largos y las puestas de sol más tristes.

....

Una noche, el Joven Príncipe tuvo un sueño extremadamente vívido. Se hallaba junto a su amigo en un avión, recorriendo maravillosos paisajes de la tierra. Montañas majestuosas separadas por mágicos valles, donde los ríos parecían serpentinas de cristal en los que por momentos se refrescaba la sombra del aeroplano. Tupidos bosques abrigaban del viento el tapiz bordado de las praderas florecidas. Como volaban a baja altura, podían ver los ciervos, caballos, cabras, liebres y zorros corriendo libremente por los campos. Incluso divisaban las truchas saltando alegres en los arroyos. No había ninguna pregunta que el Joven Príncipe quisiera formular y su amigo tampoco le dio ninguna explicación. Simplemente observaban la maravilla que tenían ante sus ojos y sonrientes, señalándose uno al otro cosas dignas de atención, reían nuevamente. Nunca se había sentido tan feliz. De pronto su amigo inició un giro y le indicó que se disponían a aterrizar en el lomo de una colina de pastos bajos. El aterrizaje fue perfecto, como si la tierra hubiera ablandado la corteza para su deleite respetuoso. Apenas descendieron, su amigo aviador lo condujo hasta la ladera opuesta de la colina, donde una multitud de corderos blancos se hallaban pastando apaciblemente y le dijo:

—son todos para ti. No sé cuántos son, no creí importante contarlos. He comenzado a criarlos desde el día en que te fuiste. Desde entonces el rebaño ha crecido tanto como en mi corazón el sentimiento por ti.

Cuando el Joven Príncipe se volvió emocionado para abrazar a su amigo, despertó solo en su planeta apagado y silencioso. Dos lágrimas dulces se fueron amargando en su caída, mientras una voz en su interior le dijo:

—busca a tu amigo y deja que él te explique sus motivos. Sólo así volverán a reír todas las estrellas...

....

—Así fue como decidí realizar este viaje —explicó el Joven Príncipe.

....

A la mañana siguiente muy temprano fue a despedirse de la flor, de la cual había estado últimamente un poco distanciado. Se encontraba marchita y replegada, como si la falta de atención del Joven Príncipe la hubiera consumido.

—Adiós, me voy —dijo el Joven Príncipe, pero ella no le respondió. Entonces la acarició cubriéndola con sus manos, pero la flor no se movió. Ya no había nada que lo retuviera.

Unos peligrosos brotes de baobab habían aparecido al borde del camino. Incluso podía advertirse la vibración del suelo que provocaban los volcanes por haber descuidado su limpieza. Pero todo eso carecía ahora de importancia. Ya se disponía a partir, cuando se topó con la hierba.

—¿Adónde vas tan temprano? —dijo la hierba.

El Joven Príncipe guardó silencio para no inquietarla, pero sus ojos revelaron lo que la hierba quería saber.

—¡No puedes irte, eres mi amo! —ordenó ella.

—Pues desde hoy quedas libre —contestó el Joven Príncipe.

—No puedes hacerme eso. Sabes que ya no puedo vivir en libertad. Necesito alguien a quien servir y tú necesitas alguien que te sirva —insistió la hierba.

—Si no pudiera vivir sin ti, entonces yo sería tu esclavo y tú mi amo —observó el Joven Príncipe.

—Me moriré si me dejas aquí. No hay otro amo que arranque las demás hierbas y pronto cubrirán todo el planeta —imploró la hierba.

El Joven Príncipe dudó un momento, pero la decisión estaba tomada. Seguiría la intuición de su sueño. Entonces dijo a la hierba:

—si quieres venir conmigo debo arrancarte —y se aproximó tomándola fuertemente del tallo.

—¡No, no! —dijo la hierba.

—Entonces, adiós —y diciendo esto, partió.

—Así comenzó mi viaje —continuó el Joven Príncipe, y asumí que había sido un viaje muy largo.— Finalmente llegué a la tierra, a este lugar tan solitario. Los animales y las flores ya no me hablan como cuando era pequeño. No encontré ningún ser humano que pudiera orientarme. Exhausto, y sin saber realmente adónde ir, caí rendido donde tú me encontraste...

Mientras él callaba, comprendí que tarde o temprano todos deberemos iniciar un arduo viaje hacia el fondo de nosotros mismos. Ninguna otra conquista ofrece una recompensa tan valiosa como la de nuestro propio ser.

CAPÍTULO IX

—Como ves, es una historia muy triste, y no hay mucho que tú puedas hacer para ayudarme —concluyó el Joven Príncipe. Estaba tan absorto en su relato que, cuando terminó, tuve la sensación de que entretanto el coche había sido guiado por un piloto automático.

—Efectivamente es una historia triste —comenté,— pero en cuanto a lo segundo te equivocas. ¡Sí hay mucho que yo podría hacer para ayudarte!

El Joven Príncipe reaccionó inmediatamente a la defensiva:

—¿pero te das cuenta de que he perdido al amigo que hacía sonreír a las estrellas, al cordero que acompañaba mis tardes y a la flor que con sus juegos y su belleza alegraba mi vida? ¿Entiendes que nunca volveré a ver a la hierba que fue mi protectora y consejera ni a mi pequeño planeta, que estallará irremediablemente por la erupción de los volcanes? ¿Y tú crees que me puedes ayudar? —preguntó desafiante, y noté cómo la súbita pasión había aportado algo más de sangre a sus mejillas.

—Así es —afirmé sin dudar,— puedo ayudarte a recuperar todo lo que has perdido y más. Al fin y al cabo, lo que has perdido es la alegría de vivir, la felicidad. Pero sólo te puedo ser útil si me dejas y estás dispuesto a ayudarte.

Me miró incrédulo, pero no articuló palabra y continué:

—ésta es la primera dificultad importante que encuentras en tu vida y debes resolverla. Por otra parte, aunque te encuentras abrumado, no es el fin del mundo. Tienes a tu favor el deseo de superar esta situación, lo cual por otra parte es una exigencia de tu naturaleza espiritual e incluso de tu instinto animal.

—¿Cómo puedes estar tan seguro de que tengo voluntad de resolver mi problema cuando yo mismo no la siento?

—Buena observación —señalé, felicitándome por haber captado su atención.— Te diré por qué estoy tan seguro. En primer lugar, tuviste el coraje de abandonar la seguridad aparente de tu planeta estrecho y salir al universo a buscar la solución. En segundo lugar, aun cuando estabas en el límite de tus fuerzas, lograste ubicarte de tal forma que alguien pudiera ayudarte. Si te hubieras dejado caer en medio de la carretera o en medio del campo, probablemente ya estarías muerto. En tercer lugar, nuestra primera conversación se refirió a los problemas y a las dificultades, lo cual significa que estás tratando de adquirir información útil para salir de tu estancamiento.

Notando que ganaba terreno en su mente y su confianza, continué: —antes hablamos sobre cómo analizar o resolver los problemas. Si estás dispuesto, sería bueno que nos ocupemos ahora de tu propia dificultad. Y digo dificultad, porque sé que puedes superarla, y aunque no lo creas, la clave para resolverla está en ti.

La reacción no se hizo esperar.

—¿Cómo puedes decirme eso, cuando mi vida era tranquila y feliz hasta que descubrí el engaño de mi amigo? Ésa y no otra es la causa de todos mis males —replicó el Joven Príncipe indignado.

—Estás poniendo el problema fuera de ti y echando a otro la culpa de tu situación, lo cual es una excelente forma de no resolverlo —dije con tranquilidad mientras sus ojos parecían quemarme como rayos. Y antes de que pudiera hablar continué:— Yo te demostraré más adelante, querido amigo, que el supuesto engaño no ha sido tal, o al menos, no con el carácter negativo que tú le asignas. Pero asumamos, por el momento, que tu mejor amigo te ha engañado. Eso justificaría que estuvieras enojado con él, desilusionado e incluso triste, pero difícilmente puede explicar que hayas dejado de disfrutar la belleza de la flor, la poesía de las puestas de sol o la música de las estrellas.

Había recuperado la atención de mi oyente, de modo que continué más tranquilo:

—el supuesto engaño de tu amigo ha tenido un impacto tan devastador sobre tu vida porque su sostén era endeble. Es probable que el cordero ya no pudiera consolarte y que la flor, centrada como estaba en sí misma, no fuera capaz de contenerte. Es evidente que las rutinas diarias no colmaban tu espíritu y tampoco cultivaste un arte o una destreza que sirviera de refugio momentáneo. Es posible que toda tu realidad se hubiera vuelto insípida y que lo único que estuviera sustentando la aparente placidez de tus días fuera la nostalgia por tu amigo ausente. Es lógico, por tanto, que al caer este único sostén, todo se derrumbara. En realidad, tu mundo ya estaba vacío de antemano, igual que la flor que se había marchitado antes de que tú partieras. El supuesto engaño de tu amigo fue sólo el detonante, pero de ninguna manera la causa responsable de tu situación actual. Cuanto antes aceptes esto, más rápido podrás avanzar hacia su solución.

Podía sentir que se desataba en su interior la lucha entre la justificación y la aceptación, y me apuré a completar lo que advertía como observador externo.

—Por otra parte, si hubieras estado más seguro de ti, más confiado en tus sentimientos, la hierba no habría podido introducirse tan fácilmente por la grieta abierta en tu corazón y tener sobre tu vida una influencia tan negativa.

El Joven Príncipe quiso empezar a protestar, probablemente en defensa de la hierba, pero apelando al aire residual de mis pulmones continué sin detenerme.

—¿Por qué a veces pensamos que es mejor quien trae el desengaño que quien nos ha regalado una ilusión?

La momentánea perplejidad que le produjo la pregunta me permitió llenar la caja torácica para continuar.

—¡Desconfía de aquellos que destruyen tus sueños bajo el pretexto de hacerte un bien, pues generalmente no tienen nada bueno con que reemplazarlos! —Para mis adentros pensé si no habría algo de sabiduría en la costumbre de los antiguos que mataban al mensajero de la mala noticia, puesto que con el correr de los años descubrí que la mayor parte de las veces la noticia no era correcta, la intención era otra, o no habiendo ya nada que hacer, hubiera preferido enterarme lo más tarde posible. Y continué diciendo:

—antes o después, todos los sueños dejan de serlo. Hasta del sueño de la vida se despierta con la muerte, o quizás al revés. En verdad te digo que tu amigo te regaló el cordero más hermoso del mundo, aquel que deseabas en tus sueños, el único que podías cuidar y que podía acompañarte en tu planeta pequeño. ¿Acaso no has gozado de su compañía en las puestas de sol? ¿Acaso no te has acercado a hablarle por las noches para que no se sintiera solo, sintiéndote tú también menos solo? ¿Acaso no has intuido que él te pertenecía por haberlo domesticado y que por ello tú también le pertenecías? No hay duda de que era mucho más real y estaba mucho más vivo que el que viste en la fotografía, porque ése era *un* cordero, mientras que el otro era *tu* cordero.

Sentí que ésa es la razón por la cual cuando viajo no llevo fotografías de mis seres queridos, puesto que es más vívida la imagen que llevo de ellos en el corazón.

En ese momento me detuve, porque una fugaz mirada a mi joven acompañante me reveló que aquellos ojos dulces se ahogaban de sal, como si hubieran querido llorar desde hacía mucho tiempo.

—Gracias —me dijo el Joven Príncipe, y como si fuera un abrazo, apoyó la cabeza en mi hombro y poco a poco se quedó dormido.

CAPÍTULO X

Un par de horas después y ya próximos al anochecer, nos encontrábamos en las cercanías de una pequeña localidad donde había previsto pasar la noche. La carretera continuaba tan desierta como lo había estado durante todo el día. Sin embargo ya podían advertirse rastros humanos: los álamos en las orillas del camino o formando cortinas para proteger del viento algunas huertas, algunos ranchos casi perdidos y algún alambrado para contener quién sabe cuántas ovejas.

A diferencia de las breves puestas de sol en el asteroide del principito, en la Patagonia los atardeceres son largos y quietos y en el crepúsculo, la mitad del cielo se tiñe de una gama de rosados, lilas y violetas. Aquella puesta de sol era tan bella que no pude resistir la tentación de despertar al Joven Príncipe para que la contemplara.

—¡Mira qué belleza! —le dije señalando el horizonte y apartando momentáneamente la vista del camino.

—¡Cuidado! —me advirtió él, pero ya fue tarde. Un golpe seco en el paragolpe, un pequeño salto del coche y mientras frenaba pude ver por el retrovisor un animal blanco de cierto tamaño tirado en el asfalto, presumiblemente una pequeña oveja. Cuando nos detuvimos, me dirigí hacia la parte delantera del auto para observar los daños del impacto. El Joven Príncipe me miró sin entender, mientras comenzaba a caminar en la dirección contraria. Adivinando que trataría de socorrer al animal le dije:

—Ni lo intentes, con ese impacto ya debe de estar muerto. No hay nada que podamos hacer.

Pero él, largándose a correr hacia el bulto blanco, me gritó:

—Hoy me enseñaste que siempre hay algo que podemos hacer, aunque nosotros mismos creamos que no.

Sus palabras quedaron resonando en mis oídos, mientras verificaba que el único daño aparente era una abolladura en la parrilla delantera. Aquel joven había logrado que sintiera por un momento mi corazón más duro que el metal, que aun en su frialdad había tenido la clemencia de ceder y doblarse.

Con algo de culpa por haber sido reprendido por el joven me dirigí hacia él. Mientras caminaba, pude observar que había colocado la cabeza de un enorme perro blanco en su regazo, abrazándolo y acariciándolo con sus manos. La escena era de una gran ternura, a pesar de los estertores del animal moribundo.

Por un momento alcé los ojos y observé que, desde un rancho cercano, se dirigía hacia nosotros un hombre corpulento, de cara hosca y aspecto amenazador, que probablemente fuera el dueño del perro. Consideré que era prudente retirarse para evitar un altercado inútil y así se lo hice saber a mi joven amigo. Pero él no se inmutó y continuó acariciando al animal, que a todas luces estaba aterrorizado y en sus últimos minutos de vida. El hombre seguía acercándose con una mirada hostil, y frente al peligro consideré que lo mejor sería mostrarme dispuesto a ofrecer una compensación. Cuando estuvo junto a nosotros, extraje mi billetera ensayando una disculpa, pero él con gesto de desagrado me impulsó a quedarme quieto. Los tres permanecimos en silencio durante aquellos dolorosos minutos y aún hoy está grabada en mi memoria la mirada de aquel perro. No tengo ninguna duda de que mi nuevo amigo tenía razón. ¡Sí, pudimos hacer algo y vaya que marcó una diferencia! A medida que el Joven Príncipe los miraba con amor, los ojos del gran perro blanco fueron perdiendo el miedo, porque no estaban solos. Tuve la sensación de que aquel hombre de apariencia rústica también había reparado en ello. Al final parecía como si quisieran decir gracias. Primero cerró el izquierdo, luego el otro, y pegando una sacudida quedó inmóvil.

El Joven Príncipe continuó acariciándolo durante unos momentos. Cuando ya fue evidente que su vida se había extinguido, se volvió con los ojos húmedos para mirar por primera vez al hombre. Éste, con una ternura inusitada para su aspecto, le pasó una mano por los cabellos dorados y luego apartándolo suavemente, tomó al perro muerto en sus brazos.

—Acompáñame —dijo dirigiéndose al joven y comenzó a caminar. Como yo hice un ademán de seguirlos me dijo:

—no, usted no, solamente el muchacho.

Y luego para tranquilizarme dijo:

—no se preocupe, es que se trata solamente de cosas que no tienen precio.

CAPÍTULO XI

Es imposible describir las emociones que se sucedían dentro de mí. Me sentía maltratado, puesto que mi reacción fue la habitual en la sociedad insensible en la que vivimos. Es más, la mayoría ni siquiera se hubiese detenido. Sentía también una inquietante preocupación por lo que pudiera sucederle al muchacho, como si dejarlo junto a un ser humano fuera más peligroso para él que estar abandonado en el campo donde lo hallé. Comprendí cómo actuamos condicionados por el miedo y la desconfianza en vez de guiarnos por el amor, que tantas veces reprimimos. La humanidad está condenada (o tal vez bendecida) por el hecho de que los hombres están ligados entre sí. Mientras haya un ser humano infeliz, ninguno será totalmente feliz. Nada en el mundo nos es ajeno, ni su dolor, ni su alegría, porque no deja de ser un mundo sufriente aunque haya placer, ni deja de ser placentero aunque haya dolor. Cuanto más experimentamos el sufrir, más disfrutamos su alegría. Por ello no debemos anestesiar el corazón, ¡jamás vivamos como extraños!

Mientras la tarde se sumergía majestuosa en la oscuridad, en mi corazón comenzaba un nuevo amanecer. De pronto vi al Joven Príncipe que volvía solo, caminando como si acurrucara algo entre sus brazos. Cuando estuvo más cerca, alcancé a reconocer un hermoso cachorrito blanco. No podía creerlo. El hombre al que acabábamos de quitar un querido compañero, nos regalaba una nueva vida.

Era un milagro del amor y fue también la primera enseñanza que me dejó el Joven Príncipe. Yo le había transmitido mi experiencia con palabras y él, como un auténtico maestro, me mostró la sabiduría en silencio. Nunca como entonces tuve tan claro que cien manuales amatorios no constituyen un beso, ni cien discursos sobre el amor conforman un solo acto de amor.

—Es un cachorro Kuvasz —dijo el Joven Príncipe.— ¿Sabes? Son oriundos del Tibet, pero hoy pueden encontrarse en algunos lugares de Europa. Aquel hombre pensó que yo cuidaría bien de él —me explicó sin dejar un momento de mirar y acariciar a su nuevo amigo.— Lo llamaré Alas, en recuerdo de mi amigo aviador y porque es todo blanco y suave como las nubes.

El sonido de su voz había adquirido una dulzura que no poseía anteriormente. Y así los tres continuamos la marcha, reconfortados, hacia el pequeño hotel donde pasaríamos la noche. A partir de ese momento el Joven Príncipe recuperó su alegría natural con increíble rapidez.

Después de la cena, logramos que se permitiera a Alas compartir el cuarto con nosotros y aquel cachorro sólo se quedó tranquilo cuando mi joven amigo lo abrazó en su cama y apoyó la cabeza junto a él. Al poco tiempo ambos dormían. Una leve sonrisa se insinuaba en la boca del Joven Príncipe, y supe que cuando despegara en sueños, Alas volaría con él.

CAPÍTULO XII

A la mañana siguiente estábamos temprano en la carretera, asombrados de cómo aquella inmensidad se abría indivisa ante nosotros. A pesar de su aridez encontrábamos que el paisaje no carecía de atractivo, tal vez porque llevábamos el deseo de admirarlo dentro de nosotros. El Joven Príncipe acariciaba distraídamente a Alas que estaba cobijado en su regazo. Noté que algo le preocupaba, pero respeté su silencio. Finalmente al cabo de un rato dijo:

—no quiero ser una persona seria.

—Eso está bien —contesté yo.

—Pero debo crecer —continuó él.

—Así es —confirmé.

—Entonces, ¿cómo puedo crecer sin llegar a ser una persona seria? —preguntó el Joven Príncipe soltando la idea que lo preocupaba.

—Ésa es otra muy buena pregunta, —comenté— de hecho tan buena que nunca encontré una contestación clara. De jóvenes salimos al mundo, un mundo muy diferente de aquel en el que estábamos con nuestros padres, al menos para aquellos que hemos tenido la suerte de escuchar cuentos de hadas, príncipes y castillos encantados. Y entonces comenzamos a encontrar el egoísmo, la incomprensión, la agresividad y el engaño. Tratamos de defendernos y preservar nuestra inocencia, pero nos siguen acechando la injusticia, la violencia, la superficialidad y la falta de amor. Y entonces nuestro espíritu en vez de expandir su luz y alegría a todo lo que nos rodea, comienza a retraerse y a ocultarse muy en el fondo de nosotros mismos. Hay un momento en que el mundo fantasioso de nuestra niñez tiembla ante el avance, a veces doloroso pero siempre implacable, de la realidad. Hay quienes en ese momento desechan el tesoro de sus sueños y afirman su vida en la ilusoria seguridad del pensamiento racional. Se convierten en personas serias, que adoran las cifras y las rutinas por la aparente seguridad que proporcionan. Pero como la seguridad nunca es total, tampoco consiguen ser felices. Entonces se dedican a acumular cosas, pero siempre hay algunas cosas que les faltan. El "tener" no los hace felices, porque los aleja del "ser". Ponen el acento en los medios y no en los fines.

—¿Por qué si no las hace realmente felices, las personas dedican la mayor parte de sus vidas a tener más cosas? —preguntó con toda lógica el Joven Príncipe.

—Pensar que la felicidad depende de conseguir alguna cosa es un autoengaño muy deseable. Al depender del tener y no del ser, se pone la búsqueda en algo externo y podemos evitar el mirarnos a nosotros mismos. Según esta forma de razonar, podemos ser felices sin tener que cambiar, consiguiendo esto o aquello.

—¿Y las personas no se dan cuenta de eso? —insistió el Joven Príncipe resistiéndose a creer que en este aspecto la humanidad estuviese tan ciega.

—Lo que ocurre, mi joven amigo, es que nuestra sociedad ha multiplicado de tal manera la cantidad de cosas que se pueden adquirir, que hasta no tener la última, las personas no comprueban que ese camino es equivocado. Ya sabes cómo se aferran a cualquier posibilidad, por mínima que ésta sea, con tal de no cambiar. El problema es que cuando consiguen la última cosa, ya han perdido alguna de las primeras. Son como aquellos prestidigitadores que deben tener veinte trompos girando al mismo tiempo sin que ninguno se detenga. ¡Y ellos sólo tienen veinte! Por otra parte, sólo cuando las personas tienen una cosa, alcanzan a ver la próxima que les falta, y entonces la que ellos creyeron sería la última no lo era, con lo cual pierden toda su vida en esa búsqueda inútil, saltando de una cosa a la otra como si fueran las piedras de un río que nunca llegarán a cruzar. Los que buscan el tener, generalmente están atrapados en el futuro. No disfrutan ni sienten el presente porque toda su atención está en un acontecimiento que debería ocurrir.

—¿Qué es lo que podrían hacer en cambio? —quiso saber mi joven amigo, mientras acariciaba a Alas que dormía en su regazo.

—Simplemente zambullirse en la realidad del ser y fluir con ella. Concentrándose en vivir, sentir y amar cada momento y no obsesionándose tanto con el objetivo final del viaje. Después de todo, el sentido de la existencia es precisamente sentir. Cuando se interponen obstáculos, podrían adaptarse plásticamente para adquirir una nueva forma que les permita reafirmar su esencia y continuar, como hace un río alterando las formas de su cauce. Se trata de estar realmente vivo, con todos los sentidos alertas, con toda la capacidad de amar, de ser, de disfrutar, de crear, aquí y ahora, sin quedar atrapado en el pasado ni en el futuro.

—¿Debemos renunciar a los recuerdos? —interrumpió súbitamente el Joven Príncipe, probablemente porque los recuerdos de la flor y de su amigo eran muy importantes para él.

—No, por el contrario, los recuerdos placenteros y las experiencias gratificantes que lleves contigo en tu diario fluir pueden reconfortarte en momentos difíciles o de soledad. Lo que debes evitar es aferrarte a ese pasado que es seguro y quedar atrapado, negándote a las experiencias del presente.

El pasado es seguro porque está cerrado, muerto. Y sin embargo hay quienes prefieren la tranquilidad y seguridad de la muerte que la incertidumbre de la vida, con su posibilidad alternante de sufrimientos y alegrías. Más tarde agregué:

—otra forma en que los recuerdos pueden conspirar contra tu felicidad actual surge cuando te empeñas en sentir otra vez lo mismo. Esto nunca ocurrirá. Así como el agua de un río nunca es la misma, tampoco se repiten exactamente las situaciones en la vida. Es notable, sin embargo, la cantidad de personas que quedan atrapadas buscando repetir experiencias. Esto les impide gozar de otras, tanto o más placenteras que las anteriores. En esto, el hombre se parece a aquel animal que sigue volviendo al lugar donde una vez encontró comida hasta morir de hambre, por no explorar un poco más allá.

Durante un buen rato de marcha ambos quedamos sumidos en nuestros pensamientos sin nada que los distrajera. Es un mérito poco apreciado de aquel paisaje, su virtud de guardar un respetuoso segundo plano. Cuando el Joven Príncipe habló, me tomó por sorpresa.

—Gracias —dijo.

—¿Por qué lo dices? —pregunté yo.

—Por salvarme de la infelicidad —dijo él.

—¿A qué te refieres? —quise saber.

—Bueno, estuve pensando sobre lo que dijiste y descubrí que un pensamiento muy arraigado en mi creencia era: no seré verdaderamente feliz hasta el día que esté seguro de haber encontrado otro compañero como mi amigo aviador. Pues bien, este pensamiento contiene en sí mismo los tres equívocos para la felicidad que tú has mencionado hace un rato. En primer lugar, la necesidad de "alguien como él", que podría hacerme pasar por alto otras personas diferentes pero igualmente nobles e interesantes. En segundo lugar, "la seguridad", puesto que nunca estaré absolutamente seguro de haber encontrado a alguien como él, y en tercer lugar "la búsqueda", que me enfoca en el acontecimiento futuro de la próxima persona que voy a conocer, despreciando el valor de las que están conmigo.

—Veo que lo has comprendido perfectamente —observé con ese orgullo propio de los maestros en presencia de su mejor alumno.

—Nunca se puede estar demasiado alerta —dijo el Joven Príncipe.

—Nunca se puede estar demasiado alerta —confirmé yo y ambos sonreímos. Tomé nota mentalmente de que aún había algo en su expresión que lo ligaba a la tristeza del pasado, pero decidí esperar para averiguarlo.

Mientras el auto continuaba devorando con placer la carretera como si fuese un largo y tieso fideo gris, sentí que disminuía mi ansiedad por llegar, pues comenzaba a disfrutar cada momento de aquel viaje.

CAPÍTULO XIII

Como ya era prácticamente la hora de almorzar y temiendo que Alas pudiera dejar una sorpresa principesca sobre la capa de mi amigo, decidí que nos detendríamos en un restaurante–parrilla que apareció sobre la mano derecha y frente al que estaban estacionados un par de coches. Al entrar, noté cómo cinco pares de ojos infantiles pertenecientes a una familia que estaba almorzando se dilataron asombrados al reparar en la vestimenta del Joven Príncipe. Inmediatamente me dirigí a una mesa en el extremo opuesto, pero fue imposible disimular la algarabía resultante, más o menos como si hubiera entrado uno de los reyes magos y para colmo sin el camello.

Noté que esto había afectado a mi amigo, quién se sentó de espaldas a los dedos índices y comentarios que le apuntaban desde aquella mesa. El intento del padre por calmarlos agitando la pata de pollo que tenía en la mano fue en el mejor de los casos poco convincente, ocupado como estaba por desentrañar el misterio de nuestra colorida dupla.

La madre, de espaldas, siguió comiendo imperturbable, como si una sordera selectiva le permitiera por momentos sustraerse las variaciones en la intensidad sonora que producían aquellas endemoniadas criaturas. Mis reflexiones del almuerzo estuvieron orientadas a reforzar la autoestima de mi amigo, que se había visto resentida por algo tan externo a él como la vestimenta. Hablé de la importancia de las diferencias y la variación frente a la uniformidad, como única forma de enriquecer el conjunto. —Si las flores no se distinguieran por su aroma, su forma o su color, jamás nos detendríamos a admirar a una en particular.

—Las diferencias —continué— son las que primero nos atraen, y al fijarnos en una flor hacemos que ella sea única.

Interiormente lamenté que aquello que nos atrae y nos complementa sea utilizado a veces para separarnos y dividirnos. Mientras acometíamos el jugoso churrasco con papas fritas y ensalada, comenté que muchos de los grandes genios de la humanidad habían de alguna manera chocado contra la aceptación de sus contemporáneos, puesto que de otra forma nada hubieran cambiado. Critiqué la mediocridad de aquellos que cuando surge una chispa creadora, en lugar de dejarle aire para que produzca su fuego transformador, corren a sofocarla como un cuerpo de bomberos.

—Mi querido amigo —le dije poniéndole una

mano en el hombro,— deberás perdonar que la primera reacción de la gente sea inevitablemente fijarse en lo exterior. Pero si te mantienes seguro de ti mismo y confiado en tus valores finalmente te aceptarán, aunque sólo sea para alardear de que en su círculo de amigos cuentan con alguien tan original.

Luego dejándome caer en la silla agregué:

—claro que existe una forma más rápida y sencilla de trabar relación con las personas...

—¿Y cuál es esa forma? —preguntó el Joven Príncipe que parecía estar un poco más animado.

—Pues consiste en hacer exactamente lo contrario. En lugar de llamar su atención con lo externo y luego tratar de que conozcan tu interior, procuras confundirte entre ellos con tu apariencia y luego logras destacarte por tus valores como alguien único y especial —expliqué yo.

—¿Qué harías tú? —preguntó el Joven Príncipe poniéndome en la encrucijada. Después de una reflexión, comencé a pensar en voz alta.

—En un caso, muchas personas se acercarán a ti o se alejarán y elaborarán prejuicios positivos o negativos sin haberte siquiera conocido, basados únicamente en tu apariencia. Tendrías a favor haber captado la atención de muchas personas y en contra, que algunas de ellas se habrán alejado irremediablemente. En el otro caso, por el contrario, no lograrás llamar suficientemente la atención, por lo que muchas personas ni siquiera se enterarán de tu existencia. Si fuera mi decisión, yo preferiría este segundo camino, más silencioso y más lento, pero más profundo, pero en todo caso lo importante es que no dejes de ser tú mismo para adaptarte al gusto de los demás.

—¿No te inquieta la idea de que tu mensaje se pierda, de que muchos no se enteren a qué has venido a este mundo? —preguntó el Joven Príncipe.

Intuí que escondía la preocupación de no encontrar jamás a esa persona especial que anhelaba. Recuerdo haber respondido que sólo creo en la grandeza de una persona si es aceptada como tal por su círculo íntimo, pues si verdaderamente logras transmitir algo importante, aunque sea a un pequeño grupo a tu alrededor, puedes estar seguro de que finalmente esa claridad se abrirá paso a través de un universo de tiniebla, así como la luz de una lejanísima estrella atraviesa miles de años de oscuridad para llegar a nosotros. —En cuanto a las personas, —enfaticé mirándolo a los ojos— estoy seguro de que siempre nos cruzamos con aquella que nos está destinada. Depende de nosotros estar preparados para reconocerla y así poder "encontrarla" entre todas las demás.

Así fue como el Joven Príncipe cambió su ropa, y cuando salimos de aquella pequeña tienda de ramos generales llevaba un jean, un buzo, unas zapatillas deportivas y una gorra vuelta en sentido contrario, de la cual emergían hacia abajo sus finos cabellos dorados. Nadie hubiera podido distinguirlo de otros cientos de miles de jóvenes de su edad.

—Después de todo, príncipe se nace —comenté yo con una sonrisa, para hacerlo sentir especial en su primera incursión en nuestro mundo de miserias y maravillas. Pero él me contestó:

—mi reino ya sólo existe dentro de mí —y corrió pateando una pelota que se les escapó a unos chicos que jugaban en la calle, mientras Alas lo seguía tratando de morder sus tobillos.

En este punto, querido lector, debo pedirte a ti y a los amigos del Principito que sepan disculpar mi intervención, puesto que de ahora en adelante, será imposible identificarlo a primera vista. Sin embargo, siento que no tendrán dificultades en reconocerlo aquellos que lleven bien abiertos los ojos del corazón.

CAPÍTULO XIV

Una vez que nos pusimos nuevamente en camino, el Joven Príncipe me dijo:

—continúa hablándome, por favor, de cómo no llegar a ser una persona seria.

Al parecer, la idea de que el crecimiento implicaría una evolución en ese sentido lo tenía sobremanera preocupado.

—Había comenzado a comentarte —reflexioné— sobre cómo algunas personas reniegan de sus ideales y sueños, concentrándose en la búsqueda del tener y la seguridad. A veces la búsqueda de éxito y reconocimiento es una huída hacia adelante, porque no han tenido el coraje de ser ellos mismos, enfrentando la crítica y la desaprobación de asumir su verdadero ser y seguir su auténtica vocación. Otras veces son personas que se obsesionan con el orden, sometiendo continuamente la realidad y ordenándola en relación a sí mismos. Juzgan a las personas y clasifican los objetos, encasillándolos física y mentalmente de tal manera que les resulte imposible moverse. Con ello anulan la fecundidad ilimitada y transformadora del universo y del amor de las personas. Si los padres pusieran tanto empeño en instruir a sus hijos en el amor como lo ponen en exigirles el orden, este planeta sería un lugar mucho más agradable.

—¿Quieres decir que no es bueno tanto orden? —preguntó el Joven Príncipe.

—Lo que habitualmente llamamos ordenar es poner nuestro orden humano, inferior, sobre el orden de la naturaleza que es divino y por lo tanto superior. El hombre debe ser muy cuidadoso cuando ordena la naturaleza en beneficio propio, puesto que muchas veces el resultado es justamente lo contrario: un desorden de la naturaleza que se vuelve contra él. La contaminación del planeta, el agotamiento de especies vegetales y animales, el despilfarro de recursos naturales y tantos otros ejemplos, son muestras negativas de orden humano.

—Entiendo lo que dices —confirmó el Joven Príncipe asintiendo pensativamente con la cabeza.— En mi viaje anterior conocí a un hombre que pretendía ordenar las estrellas. Pasaba todo el día contando y sumando y luego anotaba el número guardándolo en un cajón: así creía poseerlas.

—Veo que has notado cómo satisfacen los números a las personas serias. Ellas —continué— no se tranquilizan hasta conocer la altura exacta de una montaña, el número de víctimas en un accidente o la cifra de tus ingresos anuales, por poner solamente algunos ejemplos.

—Oí que en este planeta también pretenden ordenar a las personas asignándoles números —dijo el Joven Príncipe con aprensión. Pensé en el número de documento de identidad, de seguridad social, de teléfono, de tarjeta de crédito...

—Así es. Somos tantos habitantes que parece no haber otra forma de identificarnos. Los nombres no alcanzan —comenté con un dejo de tristeza.

—Déjame ver dónde llevas tu número —pidió curioso el Joven Príncipe esperando que yo desnudara alguna parte de mi cuerpo.

—No, no los llevamos tatuados —dije sonriente alcanzándole algunos documentos de mi billetera. Mi expresión cambió cuando vinieron a mi mente algunos intentos aberrantes en ese sentido, que no hubiera sabido cómo explicarle.— Tal vez en un futuro cercano —continué pensando en voz alta— nos identifique un código genético como clave singular de nuestro cuerpo. Dios quiera que el orden resultante no oprima la libertad de nuestro espíritu.

—¿Qué quieres decir? —preguntó el Joven Príncipe notando la preocupación en mi voz.

—Quiero decir que el hombre ha sido creado por Dios como un ser espiritual, con una chispa de libre albedrío, autoconciencia y capacidad creadora, que generalmente llamamos alma. Por eso los seres humanos no pueden dar lo mejor de sí, como su amor o su creatividad, si no son libres.

—Seguramente tampoco los animales pueden dar lo mejor de sí mismos si los encerramos en una jaula —dijo el Joven Príncipe, tal vez recordando al cordero encerrado en la caja, mientras pasaba sus dedos por la dormida cabeza de Alas.

—Hay quienes encierran a sus hijos o a otras personas en jaulas con barrotes de exigencias, expectativas y temores —reflexioné— y no entienden que todo aquello que se impone como obligación genera necesariamente resistencia. En este sentido, el orden humano que lleva a la inmovilidad y a la falta de espontaneidad va en contra de la renovación que caracteriza a la vida. Después de todo, es fácil comprobar que no hay nada tan seguro y ordenado como un cementerio.

—¿El orden, entonces, no es necesario? —volvió a preguntar el Joven Príncipe sin tener todavía el asunto claro.

—Hay un orden externo que necesitamos para sentirnos a gusto, cuyo grado varía para cada uno de nosotros. Pero el orden que es realmente importante es el de nuestro espíritu, que debe estar orientado hacia Dios, puesto que de Él venimos y hacia Él vamos. Pero éste no es un orden quieto, sino de evolución constante y superación de nuestro ser espiritual.

—¿Cómo es que sabes tantas cosas? —preguntó el Joven Príncipe sorprendido por mi capacidad de dar respuesta a sus preguntas.

—Por mi experiencia y mi intuición —contesté.

—¿Y cómo sabes que estás en lo cierto?

—Por mi experiencia y mi intuición —volví a responder.

—¿Y nunca te equivocas? —preguntó admirado el Joven Príncipe.

—Por supuesto que me equivoco, y entonces a mi experiencia agrego ese error. Verás, yo no puedo afirmar que lo que yo creo sea la verdad absoluta, pero sí que es un conocimiento que ha funcionado en mi vida. Tú deberías hacer lo mismo. No creas nada de lo que yo te diga. Simplemente tómalo y fíjate si funciona para ti.

—¿Y dónde he de hallar la experiencia? —quiso saber el Joven Príncipe.

—En la vida —contesté.— Mi experiencia es todo el tiempo que he tenido para cometer errores y la capacidad que demostré para sobrevivirlos. Si eres inteligente, lograrás incorporar a tu experiencia errores cometidos por otros, sin necesidad de repetirlos. Los libros, los maestros y los relatos de otras personas pueden aportarte claves, pero finalmente eres tú el que decide qué conocimientos incorporar.

Percibí en su rostro que todo aquello le sonaba un poco vago. No hay duda de que los jóvenes aprenden mucho más de nuestros ejemplos que de nuestras palabras.

En ese momento el camino comenzaba a bordear un río que había labrado un profundo cañón. A los lados, ríspidas elevaciones de la precordillera presentaban extrañas formas rocosas. Una de ellas atrajo en especial nuestra atención. Se trataba de una piedra en forma alargada que se erguía hacia el cielo desde el filo de un cerro. Un cartel en la ruta la señalaba con el nombre: "El dedo de Dios".

Sonreí pensando cómo debieron apurarse a sacralizarla, antes de que los lugareños percibieran otras similitudes.

En cuanto a mí, me resultaba más fácil imaginar, como lo hizo Miguel Ángel, la mano de Dios abierta y extendida hacia el hombre. En ese momento acudió a mi mente el ejemplo que necesitaba.

—La experiencia es como un mapa —afirmé captando esta vez toda la atención de mi compañero de viaje.— Lamentablemente es un mapa incompleto en lo que respecta al futuro. Por lo tanto, debes confirmar cada día las suposiciones que hayan sido correctas y desechar aquellas que no lo fueron.

—¿Y la intuición? —preguntó el Joven Príncipe sin dar tregua y haciéndome comprender perfectamente que en aquel automóvil nadie ponderaría la acertada eficacia de mis ejemplos.

—La intuición es la primera percepción que tienes de una persona o una situación. Generalmente es correcta. Lamentablemente nuestra sociedad ha sobrevalorado el conocimiento deductivo racional, que es más lento y si bien muy útil en la ciencia, es difícilmente aplicable a muchas cuestiones humanas. El conocimiento intuitivo, en cambio, es instantáneo e integral.

—Creo que mi flor era intuitiva —comentó el Joven Príncipe— puesto que sabía las cosas antes de que yo las dijera. Tal vez por eso los hombres y las flores a veces no se entienden entre sí.

CAPÍTULO XV

Estaba absolutamente inmerso en el placer de conducir por aquel camino sinuoso, que ahora seguía, entre los pinos, la orilla de un gran lago. Con cada rebaje, el ronroneo del motor subía vibrante por mi espina dorsal. En aquel momento, la interrupción cayó sobre mí con el desagrado de una nevada en primavera.

—Me estabas hablando de las personas serias —dijo el Joven Príncipe.— ¿Qué más sabes de ellas?

—Algunas cosas —murmuré resignado, decidiendo que sería inútil tratar de explicarle que había truncado una sinfonía mecánica incomparable;— después de todo, estuve en peligro de convertirme en un conspicuo miembro de esa especie.

—¿Qué lo impidió? —quiso saber el Joven Príncipe, que siempre apuntaba directo al centro de la cuestión.

—Cuando observé a los serios, respetables y exitosos que tenía a mi alrededor, comprobé que ninguno de ellos era realmente feliz.

—¿No irás a decirme que el orden los hizo infelices? —insistió el Joven Príncipe asombrado.

—No —contesté,— lo que ocurre es que las personas serias que adoran el orden, generalmente también detestan las sorpresas y todo aquello que escapa a su control. Sin embargo, a mayor control, menor placer. Gustan de vivir en un mundo que gira en una órbita exacta y predecible, un mundo sin magia y sin asombro. Cualquier leve desvío es motivo de enojo o preocupación y vaya que les ofrece abundantes oportunidades para ambos nuestra realidad cambiante.

—Me haces recordar a un farolero que no podía apartarse de su consigna —dijo el Joven Príncipe.— Cuando su planeta comenzó a girar más rápido, el ritmo del trabajo se tornó infernal.

—Pues bien, —continué— el paso de estas personas por la vida es tan brillante y fugaz como su nota necrológica, aun en los casos en que acumulan numerosas medallas y diplomas. Nadie se atreve a agregar una pequeña nota al pie de página que diga "¡... sin embargo no ha sido feliz!". El cielo escribe en su bóveda infinita el merecido epitafio de las personas serias, con un fugaz meteorito.

—Nadie debería estar orgulloso de ser un brillo fugaz —reflexionó el Joven Príncipe.

—No, nadie debiera estarlo —confirmé yo y agregué:— son como una pequeña llama que se apaga, como una luciérnaga en la noche de los tiempos.

—Y hay otras personas —reflexioné— que ante el acoso de la realidad y no queriendo renunciar a sus ideales (como las personas serias) tratan de protegerlos tanto que les construyen un muro alrededor. Con ello sólo consiguen asfixiar su espíritu. A veces ese muro es tan perfecto que ni siquiera encuentran una abertura para volver a su interior. Entonces quedan afuera como marionetas sin el espíritu que los guía, como fantasmas que no saben quiénes son, de dónde vienen, ni adónde van. Su mundo gira a la deriva y se va enfriando con los años como un cometa errante.

—No quisiera ser un cometa errante —observó el Joven Príncipe y luego preguntó:— ¿qué es un fantasma?

—Un fantasma es una imagen sin contenido, una sombra, una apariencia sin sustento —y agregué:— hay gente que piensa que los fantasmas no existen. Yo en cambio sí creo que existen y hay muchos de ellos por dondequiera que voy: son aquellas personas que no tienen corazón.

—Tampoco me gustaría ser un fantasma —reflexionó el Joven Príncipe cada vez más consciente de las dificultades que entraña el crecer.

—En ese caso, no debes traicionar tus anhelos, ni encerrarlos tan dentro de ti que mueran por inanición. Aprende a conjugar lo real con lo ideal.

Pon lo mejor de ti en cada cosa que hagas, para que refleje tu espíritu y da lo mejor de ti a cada persona, para que refleje tu amor. Verás que el mundo se torna como un espejo que devuelve con creces lo que tú le das. Porque la única forma de conservar la sonrisa es sonreír y la única forma de conservar el amor es brindarlo. Hay un momento en que estás entre el mundo centrado en ti mismo, propio de la niñez, y el mundo abierto a los demás, en la madurez. En ese momento, procura deshacerte de tus caprichos, rigideces y egoísmos, para crecer en el convencimiento con que defenderás tus más nobles principios. Quiérete a ti mismo, para así poder querer a los demás. Quiere a tus sueños, para ir forjando con ellos un mundo cálido y maravilloso, lleno de sonrisas y abrazos. El mundo en el que te gustaría vivir, y que girará en una órbita multicolor. Si crees verdaderamente en él, si lo construyes poco a poco con las acciones de cada día, ese mundo es posible para ti. Será el premio a tus méritos, puesto que nunca he visto a alguien gozar plenamente de una felicidad inmerecida. Sólo las personas que aman de verdad son estrellas, y su luz nos sigue alumbrando muchos años después de haberse ido.

Noté la emoción y el fervor en su voz cuando dijo:

—cuando muera quiero ser una estrella. Enséñame a vivir para ser una estrella —y abrazado a su cachorro recostó la cabeza contra la ventanilla.

—No podría enseñarte fórmulas precisas —respondí con ternura,— no soy un maestro de estrellas. Sólo puedo entregarte las pocas enseñanzas que adquirí viviendo, mis pocas verdades que, como toda verdad, sólo pueden ser dichas con amor. Pero tú, como todos nosotros, llevas adentro la capacidad de amar y es todo lo que necesitas. Cuando tengas una duda, busca dentro de ti mismo, y si tienes paciencia, siempre encontrarás la respuesta.

Pero él ya no me escuchaba... tal vez descubrió que todos eran príncipes y estrellas en el país de los sueños.

CAPÍTULO XVI

Esa noche nos alojamos en una posada muy hermosa, que estaba a la orilla de un lago y rodeada por un gran bosque. Era toda de madera y piedra, con agradables chimeneas que se hallaban encendidas. Cada cuarto estaba revestido con empapelados de motivos y colores que conjugaban con su correspondiente nombre. Al nuestro, llamado "La Pradera", correspondían los colores verde pastel y los motivos de hierbas y flores silvestres. Las normas de la casa requerían que Alas durmiera esa noche solo, pero en un cuartito muy acogedor. De todas formas pensé que no sería fácil para mi amigo desprenderse física y emocionalmente de aquel cachorro.

Cuando bajamos a cenar, no debió sorprenderme encontrar a la misma ruidosa familia del mediodía, ya que las posibilidades de alojamiento en la zona eran limitadas. De más está decir que nuestra entrada causó el mismo bullicio que la primera vez, demostrando la veracidad del refrán popular que afirma: "hagas lo que hagas, nunca lograrás conformar a los demás". Sin embargo, a lo largo de la cena y probablemente debido al cansancio de niños y adultos, el clima familiar de aquella mesa se fue deteriorando a tal punto que nos sentimos muy incómodos por la agresividad manifiesta y la violencia contenida. Uno de los niños, el más pequeño, lloraba desconsolado. A otro, en penitencia, se le había prohibido comer, mientras que al tercero se lo obligaba a terminar un pescado que no le apetecía. Los dos restantes no sacaban la mirada del plato y acompañaban el castigo de sus hermanos con cara de circunstancia. Esto había afectado más de lo normal a mi joven amigo, por su falta de experiencia familiar, y ya no era capaz de probar bocado. En esos momentos, realizó lo que sería el segundo milagro de amor de nuestro viaje. Se levantó, fue a buscar a Alas, y trayéndolo como un blanquísimo bebé en sus brazos, se dirigió hacia donde estaban los niños y se los ofreció como regalo. Los ojos de los chicos brillaron de alegría, alargando sus manos para acariciarlo. El gesto y la actitud del Joven Príncipe eran tan conmovedores que los padres quedaron desarmados. Cuando al fin quisieron reaccionar en sentido negativo (seguramente tenían muchas e inteligentes razones para rechazarlo) Alas ya era parte de sus vidas. Apenas atinaron a mirarme como si yo, el supuesto padre, debiera autorizar el donativo. Cuando moví afirmativamente la cabeza sonriendo, su suerte quedó sellada: al día siguiente serían ocho en el camino.

A partir de ese momento volvió la alegría del espíritu a ese comedor y mi joven amigo pudo terminar de saborear su comida, no pocas veces interrumpido por los saludos y risas de los chicos y los ladridos de placer de Alas, que ahora tenía cinco amos dispuestos a jugar con él y complacerlo.

—Es maravilloso que hayas podido hacer eso, especialmente con esos niños que se han burlado de ti esta mañana —dije observando su reacción, pero él me respondió:

—tú me hiciste ver que yo los provoqué con mi apariencia inusual, y no está mal que los chicos sean espontáneos en sus reacciones. Por otra parte no podía soportar aquella tensión y sentí el impulso de hacer algo para aliviarla. Alas estuvo junto a mí, dándome felicidad cuando más lo necesité. Es bueno que alegre otros corazones.

Con efusivas muestras de cariño por parte de los niños y un poco forzadas por parte de sus progenitores, nos despidió toda la familia cuando nos fuimos a dormir. A su vez, Alas había operado de milagroso catalizador para reconciliarlos entre sí.

Con esta experiencia reconfortante, llegaba a su fin nuestro segundo día de viaje. Otra vez sentí que el Joven Príncipe había superado con un solo hecho todas mis palabras.

CAPÍTULO XVII

Después de un sueño reparador, me desperté aquella mañana un poco más tarde de lo habitual. Miré hacia la cama del Joven Príncipe, pero él ya no estaba allí. Cuando abrí las cortinas, lo vi de pie, quieto en la orilla del lago, tan inmóvil como las aguas. Había aún una bruma difusa que los primeros rayos del sol iban disolviendo, como uno de esos algodones azucarados en la boca de un niño. De todos los rincones del paisaje emanaba una gran sensación de paz. Después del desayuno nos pusimos en marcha, reparando en el hecho de que el automóvil de aquella numerosa familia ya no estaba allí. Después de un cuarto de hora por un camino de tierra, abrigado por la sombra de abetos, pinos y araucarias y estando ya próximos al extremo opuesto del bosque, el Joven Príncipe me pidió de pronto:

—¡detente por favor!

—¿Cómo dices?

—¡Para el coche por favor! —volvió a repetir con evidente inquietud. En cuanto lo hice, bajó del coche y se adentró unos veinte metros en el bosque sin decir palabra. Ah, era eso, pensé aliviado, sorprendido de que a mi amigo las necesidades fisiológicas le sobrevinieran con tanta urgencia.

Agriamente descubrí que no era eso lo que había motivado la reacción del Joven Príncipe. A diferencia del primer día, cuando caminaba hacia mí con los ojos luminosos, esta vez su mirada reflejaba el dolor del desengaño, mientras traía a Alas acurrucado en sus brazos.

No pude comprender cómo podía alguien abandonar a una criatura tan tierna.

Alas llorisqueaba y temblaba, aún presa del miedo, lamiendo las manos y la cara del Joven Príncipe con desesperación. Era evidente su alegría de volver a vernos.

—No han podido ser los niños —aventuré, tratando de interpretar el sentir de mi compañero frente a semejante crueldad.— No entiendo por qué no lo dejaron en el albergue, para que nos fuera devuelto. Una breve nota de agradecimiento o disculpa hubiera bastado para dejarnos contentos —dije mientras el Joven Príncipe permanecía en silencio.

Tantas emociones habían menguado la resistencia del cachorro, que apenas reemprendida la marcha quedó dormido en el regazo de mi joven compañero, quien continuó acariciándolo durante un largo tiempo.

Una vez más, la carretera salió del valle para adentrarse en aquel paisaje inhóspito cuya solitaria inmensidad invitaba a la introspección.

No nos atrevíamos a romper el silencio que nos embargaba, como si no hubiera ninguna palabra apropiada para aquellas circunstancias. Finalmente fui yo el que dijo:

—demos gracias porque Alas está con vida. Perdonemos y sigamos adelante.

El Joven Príncipe continuó en silencio, como si no me hubiera oído. Su expresión era melancólica y taciturna. Después de un buen rato finalmente dijo:

—es que yo también he abandonado una flor y aún no puedo perdonarme por dejar que se secara. Además siento culpa por haber dudado de la buena intención de mi amigo y hago en parte responsable a la hierba.

Entonces comprendí qué era lo que atrapaba en el pasado al Joven Príncipe y opacaba su brillante sonrisa.

—Pues bien, ahí está la dificultad para avanzar —afirmé absolutamente convencido de mi diagnóstico.— Presta atención, pues te revelaré el secreto de la felicidad.

—¿Tú conoces ese secreto? —preguntó el Joven Príncipe abriendo los ojos, incapaz de creer que le sería revelada allí mismo la clave que gran parte de la humanidad ha buscado durante siglos.

—Bueno, creo que sí —comenté, sabiendo que en aquella situación ayudaría más mostrarse seguro que fingir modestia,— si bien es cierto que no he descifrado antiguos manuscritos ni penetrado la cámara vedada de remotas pirámides, pues estoy convencido de que ésta, como todas las grandes verdades, es simple y evidente.

—Revélamela por favor —rogó el Joven Príncipe.

—Pues bien, —comencé— serás feliz si amas y perdonas, pues de ese modo también serás amado y perdonado. No es posible perdonar sin amar, puesto que tu perdón nunca excederá la medida de tu amor. Finalmente, no es posible amar y perdonar a otros, si primero no te amas y perdonas a ti mismo.

—¿Cómo puede uno amarse a sí mismo, conociendo todas sus imperfecciones? —objetó el Joven Príncipe.

—De la misma manera como podemos amar a otros, conociendo las suyas. Aquellos que esperan la aparición de un ser perfecto para amarlo, seguramente sufren una serie de ilusiones y desilusiones y terminan por no amar a nadie. Por ello, para quererte y perdonarte, basta que abrigues un deseo de superación y aceptes que has hecho lo mejor que has podido.

—¿Cómo sabré que amo realmente sin haberlo experimentado antes? —preguntó con toda lógica el Joven Príncipe.

—Amas realmente cuando antepones la felicidad del otro a la tuya propia. El amor verdadero es desprendido y libre. No busca satisfacer la necesidad propia, sino que se concentra en el bien del otro.

—Aún me es difícil comprender cómo podría dar esa clase de amor sin haberlo recibido antes. —dijo el Joven Príncipe.

—Lo que dices es muy cierto. A veces los hombres tenemos la suerte de recibir el amor incondicional de nuestros padres. Otras veces, a través de la meditación, podemos ser conscientes de que poseemos un alma inmortal e intuir el infinito amor de su Creador. Hay quienes, al leer el Nuevo Testamento, sentimos que Jesucristo amó a todos los hombres con absoluta perfección, ofreciendo su vida para librarnos del temor a la muerte, al enseñar que somos seres espirituales atravesando una experiencia humana. Otros descubren a través de las palabras de maestros iluminados, su absoluta compasión por todos los seres vivos. Si buscas sinceramente, encontrarás algún motivo para amarte y descubrirás que eres una criatura única y maravillosa.

Yo hablaba con gran convicción, poniendo toda mi energía en aquellas palabras y sabiendo que no hay conquista más ardua y al mismo tiempo más sublime que sanar un corazón. El Joven Príncipe me escuchaba en profundo y respetuoso silencio.

—Debemos aprender de los niños —continué— que son rápidos a la hora de perdonar, porque de lo contrario la vida sería un encadenamiento de odios y venganzas sin fin. Por otra parte, ¿de qué cosa tan terrible puedes culparte? ¿De dudar? Hasta los santos han dudado. Acepta tus errores y confía en la misericordia de Dios, que Él ya te ha perdonado. Y si dudas de la existencia de Dios, pregúntate qué ganas con no perdonarte. Además, has seguido correctamente tu voz interna, que te ha llevado a buscar a tu amigo aviador y preguntarle por qué te dio una caja donde no podía caber un cordero.

El Joven Príncipe continuó en silencio. Estaba inmóvil con los ojos entornados. Incluso sus manos dejaron de acariciar a Alas.

—Tampoco creo que debas juzgarte tan duramente por descuidar la flor. Ellas se marchitan al final del verano y resurgen en la primavera. Es posible que ella misma, de manera sutil, te alejara de su lado, para que no vieras arrugarse aquellos pétalos tan tersos.

Sentí que la atención del Joven Príncipe era total, como si su vida dependiera de cada palabra.

—Abandonaste tu pequeño mundo, sí, pero para incursionar en uno más grande. Toda elección, sabes, involucra una renuncia. Todo cambio implica dejar atrás algo de nosotros: sólo así crecemos y avanzamos. No sin dolor, pero con la convicción de enriquecernos. Vamos poco a poco prescindiendo de lo accesorio para quedarnos con lo esencial, como peregrinos que, en el camino al santuario, toman conciencia de cuánto pesa lo superfluo.

Las palabras brotaban de mi boca sin ningún esfuerzo, guiadas por un saber que parecía estar más allá de mi voluntad.

—En cuanto a la hierba, no olvides que tú ibas a arrancarla. Habías prejuzgado que las hierbas son malas, porque invaden el espacio de los hombres y las flores. ¿Pero puedes afirmar que esa hierba era mala en sí misma? Seguramente no, ya que estaba cumpliendo al pie de la letra aquello para lo cual fue creada, es decir, ser hierba. Por lo tanto, ¿puedes culpar a una criatura por tratar de sobrevivir como fuere cuando está en riesgo su existencia?

Esta vez el Joven Príncipe me miró atónito, pero sus labios permanecieron sellados.

—No creo que las cosas sean buenas o malas, salvo en relación con nuestras necesidades o al uso que hacemos de ellas. Pero si debiera optar, diría que si Dios las creó, por fuerza son buenas. En el plan universal de la creación es posible que muchas cosas y muchos hechos que ocurren tengan un sentido que nosotros aún no comprendemos. ¿Existirán las hierbas para que debamos arrancarlas y así evitar que nos hagamos perezosos? ¿Existirá el dolor en el mundo, para amar y valorar la felicidad? ¿Existirá el odio, para que podamos sentir el gozo espiritual del perdón?

—Lo cierto es que sin dificultades nos sería imposible llegar a superarnos y descubrir nuestro verdadero ser. Es en los momentos más críticos cuando el hombre saca a relucir lo mejor de sí mismo.

Respiré profundamente, dejando que por el resto de la mañana continuásemos la marcha en silencio. Se requiere un tiempo para que surja con fuerza dentro de nosotros la necesidad y el deseo de perdonar.

Es paradójico que algunas personas sientan, al perdonar a otros, que les están concediendo una gracia, cuando en realidad el más beneficiado es el que perdona. Los sentimientos negativos se vuelven en contra de quien los alberga. Por lo tanto el que no perdona, el que envidia y el que odia, en primer lugar se hace daño a sí mismo.

De pronto, una liebre patagónica atravesó el camino al tiempo que un pensamiento de Buda cruzaba por mi mente: "Aquel que me hace daño recibirá a cambio la protección que proviene de mi amor y cuanto mayor sea su maldad, mayor será el bien que recibirá de mí."

CAPÍTULO XVIII

Ese mediodía llegamos a una localidad que era reconocida por su importante hotel, con un gran centro de convenciones.

Había sido construido para desarrollar el turismo y dar a conocer los atractivos de la región a través de reuniones empresarias, artísticas o de otra índole. Habiéndonos detenido allí para almorzar, íbamos camino al comedor cuando alcanzamos a ver, por las puertas abiertas del gran salón de convenciones, que estaba repleto de gente. Cuando miramos sin excesiva curiosidad hacia el estrado, cuál no sería nuestra sorpresa al ver que el orador era el padre de familia de la noche anterior. En ese momento se hallaba finalizando su discurso como candidato, sin que pudiéramos saber para qué tipo de función o actividad. Sus palabras nos golpearon cuando dijo: "... tengan confianza en mí. No los defraudaré."

En ese momento sus ojos se encontraron con la mirada clara y penetrante del Joven Príncipe. Dentro de mí había un irrefrenable deseo de exponerlo públicamente, manifestando cómo esa misma mañana nos había defraudado por abandonar a su suerte a un indefenso cachorrito.

Para mi disgusto, la mirada de aquel hombre no reflejaba culpa o vergüenza, probablemente debido a que esas emociones requerían de algún vestigio de humanidad.

No había, sin embargo, dureza o enojo en la expresión del Joven Príncipe, sino una luminosidad tan intensa que ninguna sombra hubiera podido oponerse a ella.

Decidimos adelantarnos e ingresar al comedor rápidamente, por si el cortés aplauso de los simpatizantes despertaba de su sopor a la audiencia, posiblemente hambrienta.

Estábamos empezando a comer cuando entró el padre de familia y al vernos se dirigió directamente hacia nuestra mesa. Mientras se acercaba me puse un poco tenso, asombrado por el hecho de que aquel individuo aún tuviera el coraje de enfrentarnos.

Sin embargo, el candidato parecía tranquilo y relajado. Tenía una sonrisa en los labios cuando llegó hasta nosotros y poniendo una mano en el hombro del Joven Príncipe le dijo:

—fue un maravilloso gesto el que tuviste anoche. Comprendo perfectamente que te hayas arrepentido, puesto que se trata de un cachorro tan especial, aunque debo admitir que los chicos estuvieron muy desilusionados cuando no lo encontraron esta mañana y...

—No comprendo —dije lanzando una rápida mirada al Joven Príncipe que permanecía impasible.— ¿Cómo que no lo encontraron?

Pero el padre continuó, haciendo caso omiso de la interrupción.

—... si al menos hubieran dejado ustedes una nota diciendo, por ejemplo, cuánto querían a ese cachorro, hubiera sido más fácil explicarles a los niños lo que...

—Escuche por favor —dije esta vez con un tono más enérgico, no pudiendo aún asimilar que ese hombre nos estuviera comprendiendo y justificando, cuando en realidad, en el mejor de los casos, debiera ser a la inversa.— Mi joven amigo aquí presente no se arrepintió de nada. Esta mañana cuando partimos después de ustedes, encontramos al perro bien adentrado en el bosque y supusimos que...

—¿...nosotros lo habíamos abandonado allí? —dijo el padre continuando la frase que yo no me había atrevido a completar.— ¿Abandonar ese precioso cachorrito indefenso? ¿Pero cómo puede usted pensar semejante barbaridad? —dijo el padre con indignación.

Después de un incómodo silencio en el que no supe qué decir, continuó: —es posible que me haya visto usted en una actitud severa con mis hijos, pero no soy insensible y he procurado no ser jamás injusto. Simplemente creo que a veces es preferible un poco de rigor que una ausencia de límites.

Después de pensar unos momentos agregó:

—no comprendo qué puede haber sucedido, a menos que el cachorro haya logrado abrir la puerta de la caseta durante la noche y salir, perdiéndose en el bosque.

Y dirigiéndose al Joven Príncipe: —los Kuvasz son muy inquietos, ¿sabías? Es una gran suerte que lo hayan encontrado.

Yo seguía en silencio, tan incapaz de decir algo apropiado como un niño sorprendido en falta por su padre.

—Bueno, los dejo, que continúen bien el viaje —se despidió el padre comenzando a moverse hacia otra mesa, hasta que lo detuvo la voz del Joven Príncipe.

—¿Dónde puedo encontrar a los chicos? —quiso saber mi compañero.

—Están en las habitaciones trescientos diez y trescientos once. Se alegrarán de verte —alcanzó a contestar el padre por encima del hombro mientras se alejaba en dirección a la gran mesa del fondo, donde lo estaban esperando para algún festejo en relación con su candidatura.

Aun habiendo conocido al Joven Príncipe por tan poco tiempo, esta vez pude imaginar lo que iba a ocurrir: la nobleza de su corazón superaría el afecto que tenía por Alas.

Unos minutos más tarde, se abrió la puerta con el número trescientos once y volvieron a entrelazarse los gritos de los chicos con los aullidos de placer del cachorro, que había recuperado a sus cinco bulliciosos amos.

Mientras manejaba durante la tarde, me prometí que en caso de duda siempre intentaría pensar lo mejor a favor de las personas y no lo peor. Desde entonces he descubierto que no me importa cuántas veces me defrauden, puesto que soy más feliz y encuentro que el mundo es un lugar mejor desde que estoy decidido a creer que la próxima persona que aparezca en mi camino será digna de mi confianza y de mi amor.

Mis expectativas positivas respecto de las personas o las cosas han atraído en mayor medida personas o cosas favorables hacia mí. Es como si la realidad quisiera complacernos, ya sea que esperemos lo mejor o lo peor. Por eso tal vez es tan cierto el adagio que dice: "Si crees que lo lograrás o crees que no lo lograrás, tienes razón".

Mirando fugazmente al Joven Príncipe pude ver que su expresión era serena. No recordaba haberle oído, en ningún momento de la mañana, expresar un juicio negativo hacia aquella familia.

Yo supuse que no habían podido ser los niños y condené inmediata y ciegamente al padre. Lo que es aun peor, cuando lo vi en aquel estrado, noté que a pesar de toda mi reflexión sobre el perdón, no lo había perdonado.

Por una fracción de segundo tuve la sensación de que el Joven Príncipe sospechó la realidad desde un comienzo dejándome en el error, pero la aparté de mi mente. En ese momento, los labios del Joven Príncipe se entreabrieron en una leve y beatífica sonrisa...

En unos pocos minutos estuvimos otra vez en la ruta que, serpenteando por el valle, nos llevaría hasta la ciudad. Allí me esperaba una pareja amiga para que fuera el padrino de su primer hijo.

Durante aquel tercer día el Joven Príncipe casi no habló. Me escuchaba y volvía a quedar sumido en sus pensamientos, como si presintiendo el final de aquel extraño viaje hubiera querido absorber todas mis experiencias.

—Por favor, háblame de la felicidad y el amor —pidió de pronto el Joven Príncipe.

—Vaya tema —comenté dejando escapar un suspiro.— Sobre ellos podría hablarte más que Sherezade en *Las mil y una noches*. Sin embargo procuraré darte algunas ideas sobre lo que podría y no podría ser una vida con felicidad y amor, a fin de que tú puedas ir descubriendo tu propio camino.

—La experiencia —comencé— me ha enseñado que no hay felicidad sin amor, entendiendo éste como una constante pasión por la vida y un permanente asombro por todo lo que percibimos a través de los sentidos, sean colores, movimientos, sonidos, olores o formas.

—¿Quieres decir —interpretó el Joven Príncipe— que debemos poner amor en todo lo que hacemos?

—Así es, —confirmé— hazlo apasionadamente, ya sea trabajo, arte, amistad, deporte, altruismo o romance. La felicidad —continué— es también un equilibrio que requiere la satisfacción de una amplia gama de necesidades humanas, desde las básicas como alimento, cobijo, caricias o estímulos, pasando por necesidades de creatividad, de reconocimiento, de productividad o de cambio, hasta las más elevadas como la necesidad de trascendencia, de amor, de altruismo o de significado de la propia vida. Sólo la inteligencia puede lograr saciarlas en forma armónica, según tu personalidad.

—¿Cómo sabré que lo he logrado? —quiso saber el Joven Príncipe.

—La felicidad —expliqué— no es tanto un objetivo final al que uno llega, como si se tratara de la estación terminal de un tren, sino más bien una forma de viajar, es decir, de vivir.

—¿Un tren?... —comenzó el Joven Príncipe.

—No se trata de un sentimiento pasivo —continué, ignorando la interrupción— sino que por el contrario exige estar atento y trabajar cada día para lograrla e incrementarla.

—¿Por qué siempre dices primero lo que no es? —me espetó el Joven Príncipe.— Ahorrarías la mitad del tiempo si no lo hicieras —y antes de que yo pudiera reaccionar con alguna observación sobre nuestra realidad bipolar, insistió:

—¿qué es un tren?

—Un grupo de vagones tirados por una locomotora que se desplazan sobre dos rieles que habitualmente llamamos la vía férrea —contesté en forma aséptica, procurando evitar decir lo que no era.

—Si es difícil salirse de un camino —observó el Joven Príncipe— debe ser prácticamente imposible apartarse de una vía férrea.

Mi silencio confirmaba su intuición.

—La libertad —concluyó el Joven Príncipe— parece muy escasa en este planeta.

Entablar una discusión sobre el libre albedrío humano parecía inconducente, de modo que retomé el tema anterior.

—Vivir feliz requiere defender la libertad, pero también la vida, la ética, la autoestima, la lealtad, la paz. Esto es un deber humano para la supervivencia y a la vez una actitud de honestidad para con uno mismo y de servicio para con los demás.

—¿Qué es la supervivencia? —preguntó el Joven Príncipe.

—Es la capacidad de vivir con lo máximo, atrayendo lo que nos enriquece emocional, material y espiritualmente.

Debí hacer un esfuerzo para detenerme y no explicitar que lo contrario es la sobrevivencia, que implica vivir con lo mínimo, pero herido en mi orgullo estaba dispuesto a ahorrar explicaciones aun a costa de la claridad de mis respuestas.

—Pareciera que deben tenerse muchas cosas para ser feliz —comentó el Joven Príncipe.

—En realidad no —me apresuré a contradecir— ya que la felicidad surge del "ser" y no del "tener", reconociendo y apreciando todo lo que ya tenemos y no como resultado de obtener aquello que nos falta. Muchas veces nuestras carencias pueden ser fuente de felicidad, puesto que permiten que otros nos complementen. Si fuéramos tan perfectos y lo tuviéramos todo, ¿cómo podríamos relacionarnos con los demás? Alguien dijo que a veces no es nuestra fortaleza la que nos abriga por la noche sino nuestra ternura, que hace que los demás quieran abrigarnos.

Después de unos instantes en que ambos nos mantuvimos en silencio y viendo que mi joven amigo me escuchaba con toda su atención, continué:

—en cuanto al amor, creo que lo más exacto que se ha dicho, es que se aprende a amar, amando. Todos tenemos la capacidad de dar amor, aunque sea un gesto ínfimo, una sonrisa, que enriquece a quien la da y a quien la recibe.

—Creo que éste sería un planeta muy agradable si los habitantes al cruzarse se mirasen sonriendo —convino el Joven Príncipe.

—El verdadero amor —continué— se concentra en el bien del otro y olvida el propio. Para ese amor que todo lo acepta y todo lo perdona no hay nada imposible. Si tratamos a los demás como son, seguirán siendo del mismo modo; pero si los tratamos según lo que podrían llegar a ser, alcanzarán su plenitud. Tal es el amor altruista, que mejora todo lo que encuentra a su paso, y no deja que nada quede indiferente.

—Aun con mucho amor no puedes resolverlo todo —dijo el Joven Príncipe, tal vez con nostalgia de una flor en un asteroide a la deriva en el espacio con dos volcanes a punto de estallar.

—Pero siempre puedes hacer algo, no lo olvides —repliqué.— Amar es no renunciar a hacer ese algo y si eso es todo lo que te queda, descubrirás por primera vez que el amor es suficiente.

—Debe ser muy triste no ser amado —reflexionó el Joven Príncipe.

—Aun más triste es no poder amar —imaginé yo y agregué:— hay quienes conciben la maldad como una fuerza poderosa que se opone al amor. Yo creo que nuestra mayor tragedia es que dejemos de amar: la falta de amor, eso es el infierno.

—¿Qué pasa si te equivocas y fracasas en el amor?

—No creo en el error como fracaso, puesto que de él podemos aprender. El único fracaso es no intentarlo una y otra vez pero de una manera nueva y creativa, puesto que si haces lo que siempre hiciste, obtendrás lo que siempre obtuviste. Por lo tanto, jamás podrás fracasar en el amor: el único fracaso es no amar.

—¿Cómo sabré quién merece mi ayuda y mi amor? —continuó preguntando el Joven Príncipe.

—Muchas veces restringimos la ayuda, para darla solamente a quien la merece. Nada más equivocado, puesto que no nos compete juzgar merecimientos, cosa harto difícil, sino solamente amar. Al igual que con el perdón, el que más ama es el que más se enriquece. Entrega sin mirar quién es el beneficiado. Al fin de cuentas, si Dios ama a todos los hombres y los ama por igual, ¿por qué motivo deberíamos nosotros excluir a algunos o preferir a otros? ¡Ay de aquellos que se aprovechen de tu bondad! Finalmente, —concluí— si dedicas tu vida a extraer lo mejor de las personas, acabarás encontrando lo mejor de ti mismo.

—¿El miedo a morir —preguntó súbitamente el Joven Príncipe— no impide que seas feliz?

—Muchos se preocupan por el final de su vida: deberían preocuparse más bien de que esa vida realmente comience y dé frutos. Creo que ningún alma se pierde y que todas finalmente llegarán a destino, pero si algún día somos juzgados, no tengo dudas: la pregunta será ¿cuánto has amado?; no se nos preguntará cuánto hemos obtenido, sino cuánto hemos dado; no importará la aparente grandeza, sino la entrega.

Después de unos momentos de silencio y conteniendo apenas la emoción, agregué:

—¿sabes?, el amor es aun más poderoso que la muerte. A un hermano mío le gustaban las alas. Eran las suyas alas de colores. Dicen que murió, pero él sigue vivo en nuestros corazones. Desde entonces, creo que solamente están muertos, los que nunca amaron y aquellos que ya no quieren amar.

CAPÍTULO XIX

Ya estábamos en los alrededores de la ciudad donde mis amigos me estarían aguardando. Al Joven Príncipe no lo esperaría nadie, ahora ni siquiera en su propio planeta. La simple idea me entristeció y lo invité a continuar juntos.

—La vida ha sido generosa conmigo y me gustaría ayudarte mientras lo necesites —le dije.

—Gracias —contestó él,— pero ya has hecho tanto...

En ese momento, ya próximos a la zona céntrica, nos detuvo un semáforo. Un vagabundo se acercó al coche, extendiendo su mano con la palma hacia arriba. Cuando el Joven Príncipe bajó la ventanilla percibimos un intenso vaho de alcohol.

—¿Tienes algo de dinero? —solicitó mi joven amigo.

—Creo que no tengo cambio pequeño —dije yo.

—Pues dame lo que tengas —insistió él.

—¿Estás seguro? —pregunté dudando y tratando de sacar la billetera atascada en el bolsillo trasero del pantalón,— de todas formas lo gastará todo en alcohol.

En ese momento la luz cambió a verde y el coche de atrás me hizo señas para que avanzara, mientras el vagabundo seguía asomado a la ventanilla.

—Hazte a un lado y déjalo pasar —pidió mi amigo, y descubrí una vez más que era imposible resistirse a sus pedidos, como si provinieran directamente del corazón.— Hace un rato me dijiste que hay que dar sin mirar a quién. Pues bien, aquí tienes a alguien que está pidiendo.

—No creo que en este caso el dinero solucione sus males —comenté yo, aunque habitualmente ayudo sin pensar.

—Tal vez el vino contribuya a paliarlos, —dijo él— salvo que quieras escuchar su historia, para saber realmente qué lo puede ayudar. ¿Sabes? —dijo de pronto como si hubiera tenido una iluminación repentina,— creo que es una gran idea. Me quedaré aquí a pasar esta noche. Tal vez pueda hacer algo por él, y de no ser así, tampoco le vendrá mal un poco de atención y compañía.

—¿Pero cómo vas a quedarte así sin más en la vereda, sin saber con quién...? —pero el Joven Príncipe interrumpió mi protesta diciendo:

—no olvides que hace tres días yo también estaba al borde de un camino y tú me socorriste. ¿Cuál es la diferencia? ¿El aspecto? Tú mismo has dicho que no hay que guiarse por las apariencias. Tú ya has completado una buena acción, deja que yo pueda realizar la mía. Vé con los amigos que desean estar contigo, que yo puedo ser más útil aquí.

Luego, como si se le hubiera ocurrido algo, agregó:

—ven mañana al despuntar el día, que me gustaría despedirme de ti —y diciendo esto cerró la puerta del coche y fue a sentarse junto al harapiento desconocido. Como tardé un momento en arrancar, resistiéndome a la idea de dejarlo allí, él me hizo señas con la mano para que me fuera.

No podía apartar al Joven Príncipe de mi mente, ni las circunstancias en que nos habíamos separado. Era remota la posibilidad de que pudiera entablar una conversación razonable con aquel vagabundo, puesto que cuando alguien elige un camino de autodestrucción es muy difícil apartarlo de él. Incluso era probable que el hombre reaccionara con agresividad frente a cualquier intento de ayuda. No obstante, tal vez para aquel joven lo imposible fuera sencillo, si es que realmente existía algo imposible para ese corazón puro y esa sonrisa clara. Sin embargo, sentado en esa esquina con la gorra vuelta al revés, parecía solamente otro muchacho sin hogar.

Avanzado el festejo y compartiendo la alegría con mis amigos, esa imagen fue quedando relegada, como una espina que ya no duele. Sin embargo, al retirarme a dormir, no pude menos que comparar la cama tan mullida y cálida, con la calle tan dura y fría. Por un momento estuve tentado de ir a verlo e incluso salí del cuarto, pero algo me dijo que no desobedeciera su mandato. Abrí la ventana. Era una agradable noche de primavera, pero aun así el aire estaba fresco. La claridad de la luna apenas empalidecía al lucero. Aun quien conoce los cielos cuajados de estrellas de la Patagonia volvería a asombrarse cada vez si se detuviera a levantar los ojos…

CAPÍTULO XX

Como había dejado abierta la ventana para sentirme más cerca de mi joven amigo, desperté con la primera claridad del día. Me vestí rápidamente y sin probar bocado me dirigí hacia el lugar donde nos habíamos separado.

La inquietud que sentía en la boca del estómago se disipó cuando lo vi charlando animadamente con el vagabundo como viejos amigos.

—¡Hola! —dijo el Joven Príncipe viniendo a mi encuentro, tan fresco como si hubiera dormido en un lecho de rosas.

—¡Hola! —contesté yo, y con cierta curiosidad...— Cuéntame, ¿cuál es su historia?

—Se trata de una buena persona, un profesional universitario de holgada posición económica, a quien en un chequeo de rutina le diagnosticaron una enfermedad terminal: le quedaban a lo sumo dos o tres meses de vida. Salió del consultorio presa de una total desesperación y para evitarle todo ese sufrimiento a su familia, decidió poner fin a su vida. Afortunadamente no tuvo el coraje, o mejor

171

dicho la cobardía para ello, y subiendo a cualquier tren llegó hasta aquí, abandonándose completamente.

Una sonrisa se insinuó en los labios del Joven Príncipe al advertir mi asombro, muestra evidente de que una vez más yo había prejuzgado a una persona y una situación.

Sin embargo, continuó su relato pasando por alto el hecho de haberme encontrado otra vez en falta.

—Me llevó toda la noche convencerlo de que debía volver a su casa y permitir que su familia lo rodeara con su afecto, tal vez devolviendo lo mucho recibido. El amor, aunque no sea eterno, puede ser infinito mientras se brinda.

—Así es —confirmé yo aún conmovido por la historia.— Muchas veces oí decir que esos últimos momentos de vida pueden ser más intensos que todos los años anteriores. Creo que el tiempo —comenté— no es necesariamente lineal. Qué bueno sería si pudiéramos vivir cada día como si fuera el último. ¡Cuántas cosas haríamos y cuántas dejaríamos de hacer! Por otra parte estoy convencido de que la muerte nos llega por sí sola cuando hemos aprehendido todo lo que hemos venido a aprender a este mundo.

"¿Qué vas a hacer ahora? —le pregunté finalmente a mi amigo.

—Lo acompañaré a su casa y me quedaré con él y su familia mientras me necesiten. Por otra parte, nunca debemos descartar un milagro —dijo sonriendo y guiñándome un ojo,— ya sabes, a veces los diagnósticos no son acertados.

Dicho esto, me abrazó. Sentí una corriente eléctrica que recorrió todo mi cuerpo: fue como si cada arteria, cada nervio, cada célula, se hubieran cargado de una nueva energía. Tuve la sensación de haber estado por un momento suspendido en el espacio. Cuando me soltó, todavía un poco aturdido, confirmé guiñándole también un ojo:

—es cierto, nunca debemos descartar algún milagro.

También aquel hombre parecía ahora dotado de una nueva vitalidad y su rostro oscuro y descuidado parecía haber adquirido una expresión entre beatífica y profética.

Mientras se alejaban, parecía como si llevaran consigo la claridad por la calle de la ciudad dormida.

De pronto empecé a ver todo de un modo diferente. Sentí que el Joven Príncipe me había guiado con sus preguntas, pues ya conocía de antemano las respuestas. Era yo quien no debía dejarme agobiar por los problemas. Yo, el que no debía convertirme en un fantasma o una persona seria. Yo, el que debía sentir más afecto por un animal que por una máquina; el que debía dejar de aferrarme al pasado y al futuro y vivir el presente; el que debía olvidar el "tener" y concentrarme en el "ser"; el que no debía quedar atrapado en los medios para orientarme hacia los fines y el que debía crecer en el amor para ser feliz.

El Joven Príncipe dejó simplemente que yo descubriera lo mejor de él, para que así también pudiera encontrar lo mejor de mí.

Había sido un milagro que me había transformado íntegramente en tres días. Uno de esos grandiosos prodigios que ocurren sin que nadie los vea, pues así de inmensos y sencillos son los milagros del amor.

Lágrimas de felicidad enturbiaron mi alrededor. Esta vez me tocó a mí decir:

—gracias —aunque él ya estaba demasiado lejos para escucharme. Sin embargo, en ese preciso momento, se dio vuelta y sonrió. Aun a la distancia me enceguecíó el destello de esa luz tan blanca y noté que todo el universo sonreía con él.

EPÍLOGO

Esta es la historia de mi viaje, querido lector, y por eso me apresuro a escribirte, para que no estés tan triste.

Creo que coincidirás conmigo en que ahora la vida es más bella y no debiéramos preocuparnos tanto, puesto que el Joven Príncipe ha vuelto, y esta vez para quedarse entre nosotros.

Desde entonces no he vuelto a verlo. Pero cada vez que sonrío o tengo oportunidad de hacer un bien a alguien, siento que una ola se pone en movimiento. Y si aquél a su vez extiende su mano y su sonrisa hacia otros, será una marea que alcance a todos. De esta manera, cuando extraño al Joven Príncipe, pongo en marcha una ola y sé que llegará hasta él. Del mismo modo, desde aquella mañana en que lo vi por última vez, si estoy triste y alguien me sonríe, sabré que muy cerca o muy lejos de allí, el Joven Príncipe ha sonreído.

A veces, cuando paso por un parque y veo a los jóvenes jugando, me descubro tratando de reconocerlo. Pero luego recuerdo mis propias palabras: "No debes cerrarte a los demás por buscar a tu amigo". Y entonces comprendo que no debo seguir buscándolo a él, ya que con los ojos del corazón puedo encontrarlo en todos los demás.

Hubo en mi vida noches muy largas, en las que busqué un amigo de ciudad en ciudad y de frontera en frontera, hasta que una madrugada, lo encontré sonriendo en mi corazón…

Era una agradable noche de primavera, pero aun así el aire estaba fresco. La claridad de la luna apenas empalidecía el lucero. ¡Fue entonces cuando comprendí que debía elevar mis ojos al cielo!

De pronto ocurrió algo sorprendente. Las estrellas comenzaron a sonreírme y cuando las agitó la brisa, sonaron como quinientos millones de cascabeles.

APÉNDICE

DOS RESEÑAS A PROPÓSITO DE
EL REGRESO DEL JOVEN PRÍNCIPE

UNA RESPUESTA PERFECTA

por Esther de Izaguirre,
poeta y novelista

Saint-Exupéry sería feliz al leer o escuchar este diálogo, que va profundizando cada vez más en las verdades fundamentales que atañen a la vida.

Más allá de lo literario, el interés que suscita el sorpresivo y mágico encuentro de la experiencia, con la sabiduría y la magia, éste es uno de los libros más bellos para el que ya ha vivido y para el que vislumbra un camino a seguir.

Pero una de las virtudes sobresalientes es que trasciende la poesía. Que tanto puede detenerse en un verso como en una prosa discursiva o en un diálogo esclarecedor.

Hay personificación de flores, de animales, en un poema que va más allá de la simple definición:

aquí la poesía es el sentir la vida, la realidad, el humor, la amistad. Todo lo bueno que Dios le dejó a este mundo para que olvidara la existencia de la oscuridad, del mal y de la tristeza.

Esta obra es una respuesta estéticamente perfecta a la inolvidable obra de Saint-Exupéry. Y es el libro que recorre los senderos de la ética, con diálogos translúcidos, sabios, optimistas, iluminados por el resplandor de la estética manifestada con persuasión y accesible al público de todas las edades.

Su atmósfera transmite y envuelve de tal modo que todo lector siente la misma pena frente al perro muerto.

Si todos leyéramos este libro, habría en el mundo más claridad ante la certeza de las preguntas del Joven Príncipe y las respuestas sabias del protagonista.

Esta obra es abarcadora de tres géneros de la creación literaria: es un cuento porque al final sorprende esa despedida que no es tal, porque espiritualmente ya están unidos por el acuerdo y la luz del encuentro.

Es novela porque hay dos personajes que actúan y que finalmente, pese a la separación corporal, han llegado a la unidad y a la comprensión.

Y es poesía porque el sentimiento es en él un resplandor que devela misterios y verdades.

VIAJE AL CORAZÓN[1]

por *Bertha Bilbao Richter,*
miembro destacado del Instituto
Literario Cultural Hispánico

La felicidad —expliqué— no es tanto un objetivo final al que uno llega, como si se tratara
de la estación terminal de un tren, sino más
bien una forma de viajar, es decir, de vivir.[2]

Los relatos maravillosos y sus análogos que se
insertan en una larga tradición diversificada en diferentes contextos culturales han concedido a los lectores la posibilidad de acceder a niveles superiores de
conocimiento mediante esa percepción ampliada de

---

[1] Hemos incluido el presente trabajo que estudia la creación
narrativa de Alejandro Guillermo Roemmers, ya que identifica
elementos comunes a su poética.

[2] A. G. Roemmers, *El regreso del Joven Príncipe*, 157.

la realidad, consecuencia de la evolución espiritual. En el marco de la modernidad, este tipo de relatos aparecen soterrados o apenas entrevistos pero su esencia mítico-simbólica se mantiene viva en escritores que intentan la aventura de descubrir pivotes de la hominización, los hechos epifánicos, aquellos a los que Schelling se refirió como "revelaciones sucesivas" (Paz 12).

El regreso del Joven Príncipe da cuenta de lo que Mircea Eliade denomina "la irrupción de lo sobrenatural en el mundo" (14), es decir, la presencia, en un momento dado, de entidades o imágenes que se hacen visibles en nuestro registro fenoménico para ofrecer una revelación. El Príncipe en esta obra de A. G. Roemmers ejerce una función mediadora entre lo suprarreal y el entorno del viajero que recorre en su automóvil las desoladas regiones patagónicas. Aunque el autor alude a la referencia que lo inspiró —*El Principito,* de Antoine de Saint-Exupéry—, el Joven Príncipe de su relato regresa a la Tierra para quedarse, para inducir a los hombres a un cambio de sensibilidad que es connatural al pasaje iniciático que constituye el eje subyacente de esta narración.

El germanista Jean de Vries, estudioso de los elementos iniciáticos de los cuentos maravillosos, puntualiza que a través del simbolismo de la regeneración el héroe cumple un mandato que lo dignifica (Paz 18). En este caso, es el viajero que abandona su condición profana al interrogarse, por medio de su alter ego, el Joven Príncipe, acerca de los problemas inherentes a su propia naturaleza humana en el mundo en que se inserta. A partir de esa disponibilidad que el viajero ofrece para el diálogo, se sitúa ante la alteridad que no es otra que la conciencia de sí mismo simbolizada en el Príncipe, corporizado en la intersección de dos realidades que se confunden: su procedencia del asteroide, que alude al origen divino del alma, y su voluntad de participar del mundo y de la sociedad, es decir, la aceptación de la inexorable condición humana.

Alejandro Roemmers demuestra que ha sabido apreciar la energía del relato mítico —que viste en esta ocasión ropajes modernos— en una novela que transmite sencillez, profundidad y belleza, además de valores éticos fundantes, permitiendo a los lectores recobrar su vigencia de manera permanente y suscitar develaciones en estos tiempos de vacío y sinsentido existencial.

La novela que comentamos contiene un interesante simbolismo y nos aproxima, por contenido y morfología, a los cuentos maravillosos que se refieren, en lo axial, al rito de iniciación. En el comienzo se plantea el encuentro del protagonista-héroe con su auxiliar mágico, el Príncipe, que simboliza una entidad angélica y actúa como purificador. El viaje es una alegoría de la lucha que se entabla en la interioridad del protagonista, conducido por su yo superior hacia su propia transformación alquímica en la que el amor metamorfosea lo sombrío en felicidad. El viaje es, entonces, el camino mítico del alma que busca su unión con lo divino. Cada ser lleva en sí mismo la posibilidad de su propia redención, dicen las enseñanzas de Jesús, a cuyo Nombre nuestro autor dedica en primer término su libro.

El viajero, héroe de este periplo iniciático, es el alma que pregunta por el sentido de su existencia; está impelido por un esfuerzo ascendente: busca su real identidad, el encuentro consigo mismo en el sentido junguiano pero, al mismo tiempo, la restauración del equilibrio primigenio, el restablecimiento del orden puesto que la fe cristiana depende de una revelación en el tiempo histórico del hombre. "Para cada cristiano, individualmente [...] el Paraíso recobrado puede tener lugar desde ahora" (Eliade 185). El pasaje del relato de sucesos cotidianos en un entorno natural a una narración que tiene un sentido simbólico se va dando a través de indicios manejados sutil y poéticamente por el autor.

En efecto, una carretera poco transitada de la Patagonia es el marco geográfico que posibilita el "inverosímil" encuentro con el Joven dormido a la vera del camino y vestido con el ropaje que nos recuerda al del Principito, pero que más adelante mudará en ropa deportiva de muchacho de hoy a fin de no llamar la atención por su apariencia y así pasar desapercibido a los ojos de quienes se dejan llevar por prejuicios. "Después de todo, príncipe se nace" (113), le dirá en su momento su nuevo amigo. Hay además, otras pistas que evocan la obra de Antoine de Saint-Exupéry, otro nombre en la dedicatoria del libro: "... porque me dio la fuerza para resguardar la inocencia y la pureza del corazón" (7); estas pistas son el aviador amigo del niño, el cordero, la flor, la hierba.

El sorprendido viajero acomoda al joven "en el asiento del acompañante" (24) para proseguir su recorrido en el que "el sentido norte o sur carecía ahora de importancia" (29). Este microcosmos espacio-temporal se transforma en "centro sagrado" y la travesía en un periplo iniciático, puesto que más adelante estos indicios confirmarán el sentido simbólico de la novela: "... tarde o temprano todos deberemos iniciar un arduo viaje hacia el fondo de nosotros mismos. Ninguna otra conquista ofrece una recompensa tan valiosa como la de nuestro propio ser" (77).

En el transcurso del viaje, el Joven, "luminoso de inocencia" (30), pregunta al conductor del automóvil si hay muchos caminos en la tierra y si "no se les ocurre a los hombres buscar la orientación en el cielo" (30). Mediante un hábil procedimiento mayéutico lleva a la reflexión del adulto el modo de resolver los problemas que el vivir plantea, el significado de la responsabilidad, el efecto de la agobiante sensación de culpa, la posibilidad que tenemos de transformar la realidad que nos rodea por medio de nuestra propia evolución interior, la dependencia del "tener" que evita el reconocimiento del "ser", la conspiración de los recuerdos que impiden vivir plenamente el presente, la fugacidad de la vida, entre otras cuestiones atinentes a la existencia humana y a la felicidad tan buscada por todos.

Algunos otros valores relevados en el libro son el conocimiento intuitivo, la libertad como dinamizadora del amor y la creatividad, el error constructivo y el orden, aunque no aquel que lleva a la inmovilidad sino el que orienta hacia Dios, que es un orden "de evolución constante" (120). No está soslayada la reflexión en torno del fin de la existencia que se entronca con una página de la Biblia: El amor es más poderoso que la muerte, tema que lleva al escritor a recordar a un hermano al que "le gustaban las alas de colores" (162).

Páginas que muestran el profundo lirismo del autor, cuya cosmovisión no difiere de la de sus poemas, como nos es fácilmente perceptible en esta cita: "Entonces, quiérete puro y serás transparente; imagínate generoso y fertilizarás los campos; renuévate fresco y calmarás la sed; fíjate un rumbo y llegarás a destino; piénsate guía y conducirás a otros; suéñate espíritu y despertarás nueva vida" (55).

Las identidades del viajero y del Joven Príncipe se van confundiendo: "Yo le había transmitido mi experiencia con palabras y él, como un auténtico maestro, me mostró la sabiduría en silencio" (96). Llega un momento en que descubrimos que el Joven Príncipe está en el corazón del viajero que ha respondido las preguntas de su interlocutor imaginario conociendo de antemano las respuestas, es decir, ha realizado un viaje de intranauta, hacia el centro de su propia conciencia, viaje que tiene, significativamente, una duración de tres días. Vale recordar que el tres era ya para Pitágoras el número perfecto porque contiene un principio, un medio y un fin, y para Bayard es la base del principio divino que se halla en todos los cultos; en la simbología cristiana, es el número de la Trinidad, así como el tiempo que Cristo pasó en la tumba.

Finalmente nos preguntamos qué busca el Joven Príncipe en su retorno a la Tierra. Es evidente su deseo de ayudar a que obtengamos una nueva dimensión existencial: un modo de ser auténticos que nos defienda del nihilismo, de la tristeza, de la desilusión. El Príncipe de los cuentos tradicionales representa la forma rejuvenecida del rey padre "como el sol naciente lo es del muriente", observa Pérez Rioja (358); su misión es poner fin a situaciones penosas o difíciles y propiciar una nueva etapa de felicidad.

El argumento de la novela explicita el alejamiento del Joven Príncipe, el viajero que ha dejado de ser neófito, sabe que no debe buscarlo, "ya que con los ojos del corazón puedo encontrarlo en todos los demás" (176).

Es esta una novela conmovedora que en su brevedad nos ofrece una lección de vida y nos inicia en la comprensión del largo camino de aprendizaje que debemos recorrer.

Bibliografía

Eliade, Mircea. *Imágenes y Símbolos*. Madrid: Taurus, 1979.

Paz, Noemí. *El cuento de hadas. Mitos y ritos de iniciación*. Buenos Aires: Leviatán, 1986.

Pérez Rioja, J. A. *Diccionario de símbolos y mitos*. Madrid: Tecnos (2ª. edición). 1971.

Roemmers, A. G. *El regreso del Joven Príncipe*. Buenos Aires: Grijalbo, 2008.

ÍNDICE

APÉNDICE
Dos reseñas a propósito de
El regreso del Joven Príncipe

Esta edición de 3.000 ejemplares
se terminó de imprimir en Kalifón S.A.,
Humboldt 66, Ramos Mejía, Buenos Aires,
en el mes de diciembre de 2008.